KB178828

밤으로의 긴 여로

밤으로의 긴 여로

유진 오닐 | 박윤정 옮김

문예출판사

Long Day's Journey into Night

Eugene O'Neill

칼로타에게

우리의 열두 번째 결혼기념일에

사랑하는 당신에게

해묵은 슬픔을 눈물로, 피로 쓴 이 원고를 당신께 바칩니다.

행복을 기념하는 날의 선물로는 영 부적절해 보일지도 모르지만

당신은 이해하리라 생각합니다.

내게 사랑에 대한 믿음을 주어

마침내 죽은 가족들을 마주하고 이 극을 쓰게 해준 당신,

고통에 시달리는 네 명의 티론 가족을 향한 연민과 이해,

용서의 마음으로 이 극을 쓰게 해준 당신,

당신의 사랑과 따스함에 고마움을 전하는 의미로 이 극을 바칩니다.

내 소중한 사랑, 지난 십이 년은 빛으로의, 사랑으로의 여로였습니다.

내 고마운 마음, 당신은 알겠지요. 나의 사랑도!

1941년 7월 22일

타오 하우스에서

진

등장 인물

제임스 티론
메리 캐번 티론 : 티론의 아내
제임스 티론 2세 : 이들의 큰아들
에드먼드 티론 : 이들의 작은아들
캐슬린 : 하녀

무대

1막
티론네 여름 별장의 거실, 1912년 8월 어느 날 오전 8시 30분

2막 1장
같은 장소, 12시 45분경

2막 2장
같은 장소, 약 30분 뒤

3막
같은 장소, 저녁 6시 30분경

4막
같은 장소, 자정 즈음

1막

무대

1912년 8월의 어느 아침, 제임스 티론의 여름 별장 거실.

뒤쪽에 발이 쳐진 두 개의 여닫이문이 있다. 오른쪽 문은 거의 사용을 안 하는 것처럼 형식적으로 꾸며져 있는 응접실로 통한다. 다른 문은 어둡고 창문도 없는 뒷방으로 통하는데, 이 방은 거실과 식당을 오가는 통로로만 사용된다. 두 문 사이의 벽에 작은 책장이 하나 놓여 있는데, 책장 위에는 셰익스피어의 사진이 한 장 붙어 있다. 책장에는 발자크와 졸라, 스탕달의 소설들, 쇼펜하우어와 니체, 막스, 엥겔스, 크로포트킨, 막스 슈티르너의 철학서와 사회학 저서들, 입센과 쇼, 스트린드베리의 희곡집, 스윈번과 로제티, 와일드, 어니스트 다우슨, 키플링 등의 시집이 꽂혀 있다.

오른쪽 벽 뒤편에 베란다로 통하는 방충문이 하나 있고, 베란다가 집의 반을 에두르고 있다. 방충문 훨씬 앞쪽으로 창문이 세 개 있는데, 이 창문으로 앞마당 잔디 너머, 해안을 따라 뻗어 있는 길과 항구가 내다보인다. 창문 옆 벽에는 작은 고리버들 탁자와 평범한 오크제 책상이 붙여져 있다.

왼쪽 벽에도 비슷한 모양의 창문들이 나 있는데, 이 창문들로는 집의 뒤뜰이 내다보인다. 창문 아래로는 쿠션이 놓인 고리버들 소파가 있는데, 소파의 머리 부분이 뒤쪽을 향하고 있다. 소파 뒤로는 유리를 끼운 커다란 책장이 있다. 책장 안에는 뒤마 부자와 빅토르 위고, 찰스 레버 전집, 셰익스피어 전집 세 질, 50권짜리 세계문학전집, 흄의《영국사》, 티에르의《집정 정치와 제정의 역사》, 스몰렛의《영국사》, 기번의《로마제국 쇠망사》, 이런저런 고전 희곡집과 시집, 아일랜드의 역사를 다룬 책 몇 권이 꽂혀 있었다. 놀랍게도 이 전집들 모두 읽고 또 읽은 흔적이 역력하게 남아 있다.

거실 바닥은 단단한 나무로 되어 있는데, 디자인과 색상이 무난한 양탄자가 바닥을 거의 뒤덮고 있다. 양탄자 중앙의 둥근 탁자 위에는 녹색 갓이 달린 독서등이 놓여 있으며, 이 등의 코드는 천장 샹들리에에 붙은 네 개의 소켓 중 한 곳에 끼워져 있다. 독서등 불빛이 미치는 곳에 의자 네 개가 놓여 있는데, 이 가운데 셋은 고리버들 안락의자다. 니스칠이 된 나머지 하나(탁자 앞 오른편에 있는)는 오크재 흔들의자로 앉는 부분이 가죽으로 되어 있다.

8시 30분경. 햇살이 오른편 창문으로 들어온다.

막이 오른다. 식구들은 막 아침 식사를 끝낸 모습이다. 메리 티론이 남편과 함께 식당에서 뒷방을 거쳐 거실로 들어온다.

메리는 쉰네 살로 키는 중간 정도 되며, 아직도 젊고 우아한 자태를 간직하고 있다. 약간 오동통하긴 하지만, 코르셋으로 단단하게 조이지 않았는데도 허리와 엉덩이에서 중년의 티가 보이지 않는다. 얼굴은 분명한 아일랜드인 형이다. 한때 대단히 아름다웠을 얼굴은 여전히 눈길을 끈다. 하지만 건강한 몸매와는 안 어울리게, 뼈가 도드라져 보일 만큼 마른 데다 안색도 창백하다. 길고 곧은 코에 입은 크며, 입술은 도톰하고 섬세하다. 화장은커녕 립스틱도 안 바른 모습이다. 숱 많은 순백의 머리칼이 높은 이마를 감싸고 있다. 창백한 얼굴과 흰머리 탓에 짙은 갈색 눈이 검게 보인다. 눈은 유난히 크고 아름다우며, 눈썹은 검고, 긴 속눈썹은 위로 말려 있다.

그녀의 초조해하는 태도가 단박에 눈길을 끈다. 손을 한순간도 가만히 두질 못한다. 손가락이 긴 데다 끝으로 갈수록 가는 것이, 한때는 아름다웠을 것 같은데, 지금은 관절염으로 마디가 굵어지고 손가락도 휘어 추하고 괴상해 보인다. 하지만 사람들은 그럴수록 그녀의 손에 눈길을 주지 않으려 한다. 그녀가 자신의 손 모양에 민감한 데다, 초조함을 다스리지 못해서 그런 손을 더욱 눈여겨보게 만드는 자신을 수치스럽게 여긴다는 점을 알기 때문이다.

그녀의 차림새는 수수하지만, 자신에게 어떤 옷이 어울리는지를 분명하게 알고 입은 것 같다. 머리도 공을 들여 꼼꼼하게 손질한 것처럼 보인다. 목소리는 부드럽고 매력적인데, 기분이 좋을 때는 아일랜드인 특유의 경쾌한 리듬이 살짝 가미된다.

그녀의 가장 큰 매력은 수줍은 수녀원 학생 같은 천진난만함과 꾸밈없는 아름다움이다. 이 세상 것이 아닌 것 같은 이 타고난 순수함을 그녀는 한 번도 잃은 적이 없다.

제임스 티론은 예순다섯 살인데, 열 살은 더 젊어 보인다. 일 미터 칠십삼 센티가량 키에 넓은 어깨와 두터운 가슴팍을 지녔다. 하지만 군인처럼 고개를 세운 채 가슴은 내밀고 배는 들이민 자세와 각진 어깨 덕분에 더 크고 날씬해 보인다. 얼굴은 벌써 늙어서 주저앉기 시작했지만, 크고 잘생긴 두상에 날렵한 옆선, 깊이 파인 연갈색 눈 등 여전히 눈에 띄게 잘생겼다. 은발이 드문드문 남아 있는데, 삭발을 한 수도승처럼 머리칼이 다 빠져버린 부분도 있다.

티론에게는 직업의 흔적이 뚜렷하게 남아 있다. 그렇다고 그가 무대 위의 배우처럼 자세를 일부러 개성적으로 꾸미는 데 젖어 있다는 말은 아니다. 그는 천성으로 보나 취향으로 보나 소박하고 꾸밈없는 인물이며, 지금도 비참했던 어린 시절이나 농부였던 아일랜드인 조상들과 더 비슷한 성향을 갖고 있다. 하지만 자신도 모르게 습관적으로 튀어나오는 말투와 행동거지, 몸짓에서는 배우의 면모가 보인다. 이런 습관들은 의식적으로 익힌 기교처럼 느껴진다. 목소리는 놀랄 만큼 맑고 낭랑하고 부드러운데, 그는 이런 목소리에 대단한 자긍심을 품고 있다.

하지만 차림새는 확실히 낭만적인 역할에는 어울리지 않는다. 나달

나달 해진 회색 기성 신사복에 광택 없는 검정 구두, 깃 없는 셔츠를 입고, 목에는 두꺼운 흰색 손수건을 느슨하게 매고 있다. 그렇지만 제멋을 살려서 대충 걸쳐 입은 것 같은 느낌은 전혀 안 든다. 보통의 초라한 차림일 뿐이다. 옷을 입을 땐 실용성을 최대한 고려해야 한다는 것이 그의 생각인지라, 지금은 편하게 정원 일을 할 수 있도록 모양새 따위는 조금도 신경을 안 썼다.

그는 평생 단 하루도 제대로 앓아본 적이 없다. 신경과민이 뭔지도 모른다. 그에겐 태평스럽고 세속적인 농부의 기질이 다분하며, 감상적이고 침울한 기질과 드물게 번뜩이는 직관적인 감수성이 뒤섞여 있다.

티론이 아내의 허리에 팔을 두른 채 뒷방에서 들어온다. 거실에 들어서자 그는 아내를 장난스럽게 껴안는다.

티론 메리, 구 킬로그램이나 늘더니, 이젠 아주 한아름이야.

메리 (애정 어린 웃음을 지으며) 너무 뚱뚱하단 말이죠? 정말 살을 빼야 되는데.

티론 오, 부인! 절대 그런 말 아니오. 지금이 딱 좋아. 살 뺀다는 말은 꺼내지도 말아. 그래서 아침을 그렇게 조금 먹은 거야?

메리 그렇게 조금요? 많이 먹은 것 같은데.

티론 아니. 아무리 그래도, 내가 바라는 만큼은 안 먹었어.

메리 (놀리듯) 어련하시겠어요! 모두들 아침을 푸짐하게 먹어야 한다고 생각하는 거죠? 그랬다간 세상 사람들 죄다 소화불량으로 죽고 말 거야. (그녀는 앞으로 걸어 나와 탁자 오른편에 선다.)

티론 (그녀를 뒤따르며) 내가 그 정도로 엄청난 대식가는 아니지. (진심으로 흡족해하며) 그렇더라도 신에게 감사할 일 아닌가? 예순다섯에 식욕도 여전하고, 스무 살 청년처럼 소화도 잘 시키니.

메리 그건 그래요. 부정할 수 없는 사실이죠. (그녀는 웃으면서 탁자 오른쪽 뒤편의 고리버들 안락의자에 앉는다. 티론은 그녀의 뒤에서 돌아 나와 탁자 위 상자에서 시가를 한 개 집어 든 다음, 작은 가위로 시가 끄트머리를 잘라낸다. 식당에서 제이미와 에드먼드의 목소리가 들려온다. 메리가 그쪽으로 고개를 돌린다.) 쟤들은 왜 식당에서 꾸물거리고 있는지 모르겠네? 캐슬린이 식탁을 치우려고 기다리고 있을 텐데.

티론 (노기를 깔고 농담조로) 내가 들으면 안 될 비밀 얘기라도 하는 모양이지. 틀림없이 또 이 늙은 아비를 건드릴 음모를 모의하고 있을 거야. (메리는 아무 대꾸도 않고, 그들의 목소리가 들리는 쪽으로 고개를 돌린다. 탁자 위로 올라온 그녀의 손이 불안하게 움직인다. 티론은 시가에 불을 붙이고, 탁자 오른편 흔들의자에 앉아 흡족하게 시가를 피운다.) 아침 먹고 피우는 시가만 한 게 없어. 질이 좋은 거라면 말이야. 이번에 산 건 향이 아주 그만이야. 가격도 괜찮고. 거저나 다름없다니까. 맥콰이어가 권해서 산 거거든.

메리 (살짝 가시 돋친 어투로) 땅까지 사라고 권하진 않았겠죠? 그가 싸다는 땅들은 별로 신통치가 않잖아요.

티론 (방어적으로) 그건 아니지, 여보. 체스넛 가 땅도 샀다가 바로 되팔아서 꽤 이득을 보았잖소?

메리 (애정 어린 웃음을 지으며 짓궂게) 나도 알아요. 어쩌다 한 번 찾아온 그 유명한 행운을 왜 모르겠어요. 맥과이어는 상상도 못 했겠……. (그러다 남편의 손을 토닥이며) 그만둡시다. 내 입만 아프지. 아무리 말한들, 노련한 투기꾼이 못 된다는 걸 당신이 알겠어요?

티론 (화가 나서) 나도 알아. 하지만 땅은 땅이고, 월가의 사기꾼들이 권하는 주식이나 채권보다는 땅이 더 안전해. (화를 누그러뜨리고) 식전 댓바람부터 이런 일로 티격태격하지 맙시다. (사이. 아들들의 목소리가 다시 들려오는가 싶더니, 아들 하나가 발작적으로 기침을 해댄다. 메리가 걱정스러운 얼굴로 귀를 기울인다. 그녀의 손가락은 탁자 위에서 불안하게 움직인다.)

메리 제임스, 많이 안 먹는다고 타박해야 할 사람은 에드먼드예요. 커피 말고는 거의 손도 안 댔다고요. 먹어야 기운을 차리는데. 계속 타일러도 식욕이 없다고만 하니. 하기야 독한 여름 감기에 걸렸으니 식욕이 없는 게 당연하지.

티론 그래, 자연스런 일이야. 그러니까 공연히 걱정하지 말고…….

메리 (재빨리) 걱정 안 해요. 조심하면 며칠 있다 좋아질 텐데요 뭐. (이 문제를 무시하고 싶지만 그럴 수 없는 듯) 하지만 정말 너무하잖아요. 지금 이렇게 아프다니.

티론 그래, 운도 없지. (걱정스러운 얼굴로 아내를 슬쩍 훔쳐보며) 여보, 그렇다고 속 끓이면 안 돼. 당신도 몸조심해야지.

메리 (재빨리) 속 안 끓여요. 속 끓일 일이 어디 있다고. 그런데 왜 내가 속을 끓인다고 생각하는 거죠?

티론 그거야, 요 며칠 당신이 약간 예민해 보여서. 다른 이윤 없어.

메리 (억지로 웃어 보이며) 제가요? 오, 말도 안 돼. 괜한 생각이에요. (갑자기 긴장해서) 여보, 제발 그렇게 계속 훔쳐보지 좀 말아요. 신경 쓰이잖아요.

티론 (아내의 불안하게 움직이는 한 손에 자신의 손을 얹으며) 자, 자, 여보. 당신이야말로 괜한 생각이야. 내가 진짜로 그랬다면, 당신이 너무 매력적이고 아름다워, 황홀해서 그런 걸 거야. (절절한 마음에 그의 목소리가 갑자기 흔들린다.) 여보, 돌아온 후로 이렇게 전처럼 사랑스런 모습을 되찾은 걸 보면, 얼마나 행복한지 몰라. (충동적으로 몸을 기울여 그녀의 뺨에 키스를 한다. 그러곤 뒤돌아서며 부자연스럽게 덧붙인다.) 그러니까 앞으로도 관리 잘해요.

메리 (고개를 돌리고) 그럴게요. (초조한 듯 일어나 오른편 창가로 간다.) 고맙게도 안개가 걷혔네요. (돌아서며) 오늘 아침은 몸이 찌뿌드드해요. 밤새 저 끔찍한 무적[1] 소리 때문에 잠을 설쳤거든요.

티론 맞아, 꼭 뒷마당에서 병든 고래가 울어대는 것 같았다니까. 나도 한숨 못 잤어.

메리 (재미있어하며 다정하게) 그랬어요? 당신은 잠도 참 이상하게

---

1 안개가 끼었을 때 배의 충돌을 막기 위해 등대나 배에서 울리는 경적 소리.

설치네요. 코를 하도 세게 골아서, 어느 게 무적 소린지도 구분하기 힘들었는데! (웃으면서 다가가, 그의 뺨을 장난스럽게 토닥인다.) 무적 열 개가 울려대도 당신은 꿈쩍 안 했을 걸요. 무신경한 양반. 당신은 언제나 그래요.

티론 (자존심이 상해서 퉁명스럽게) 말도 안 돼. 당신은 내가 코 고는 걸 언제나 부풀려서 말한다니까.

메리 천만에요. 한 번이라도 당신이 직접 들으면……. (식당에서 웃음소리가 터져 나온다. 그녀는 웃으며 고개를 돌린다.) 뭐가 저리 재미있을까? 궁금하네?

티론 (심술이 나서) 내 얘기 하는 거라니까. 틀림없어. 만날 늙은 아비만 갖고 찧고 까불지.

메리 (놀리듯) 맞아, 온 가족이 당신 흉만 봐. 끔찍하지 않아요? 당신을 너무 홀대한다니까! (웃다가, 기쁘고 안도하는 태도로) 음, 무슨 농담을 하는 건지는 몰라도, 작은애가 웃는 소릴 들으니 안심이 되네요. 요즘 너무 풀이 죽어 있었는데.

티론 (못 들은 척하고, 화가 나서) 제이미가 쓸데없는 소릴 지껄인 거야. 분명해. 늘 누군가를 비웃는 녀석이잖아.

메리 여보, 이제 가엾은 큰애 좀 그만 나무라세요. (확신 없이) 재도 나중엔 좋아질 거예요. 두고 봐요.

티론 좋아질 거면 얼른 좋아져야지. 서른넷이 다 돼가는데.

메리 (듣는 둥 마는 둥) 아이고, 하루 종일 식당에 죽치고 있으려는 거야? (뒷방 문간으로 가 소리쳐 부른다.) 제이미! 에드먼드! 거실로 와. 그래야 캐슬린이 식탁을 치우지. (에드먼드가 소리쳐 대답한다. "가요, 어머니!" 그녀는 탁자로 돌아온다.)

티론 (투덜거리듯) 당신은 큰애가 뭘 하든 역성만 들어.

메리 (그의 옆에 앉아 손을 토닥이며) 쉿.

그들의 아들, 제임스 2세와 에드먼드가 뒷방에서 함께 거실로 들어온다. 둘 다 이를 드러내고 킬킬거리며 들어오다, 아버지를 힐끔 보고 더욱 크게 웃어댄다.

장남 제이미는 서른세 살이다. 아버지처럼 어깨가 넓고 가슴팍도 두툼하지만, 키는 이삼 센티 더 크고 몸무게는 덜 나간다. 하지만 티론과 달리 자세나 몸가짐이 우아하지 않아서, 티론보다 더 짜리몽땅해 보인다. 거기다 아버지와 달리 활력도 없다. 오히려 때 이른 노화의 기미까지 보인다. 방탕하게 생활한 흔적들이 있어도 얼굴은 여전히 멀끔해 보이지만, 어머니보다 아버지를 닮은 편인데도 티론만큼 멋져 보이지는 않는다. 눈은 아버지의 옅은 갈색과 어머니의 짙은 갈색의 중간인 맑은 갈색을 띠고 있다. 머리숱이 줄고 있는데, 티론처럼 벌써 대머리 증세까지 보인다. 코는 다른 식구들과 달리 뚜렷한 매부리코다. 이런 코 모양에 습관적인 냉소가 어우러져 메피스토펠레스 같은 인상을 풍긴다. 하지만 드물게나마 비웃는 기색 없이 해맑게 웃을 때면, 유머러스하고 낭만적이며 무책임한 아일랜드인 특유의 매력 — 사람들을 현혹시키는 식충이 같은 매력 — 과 함께, 여자들을 혹하게 만들고 남자들 사이에서도 인기 있는 감상적이고 시적인 기질이 언뜻 비친다.

그는 오래됐지만 티론의 옷만큼 낡지는 않은 신사복을 입고, 깃 있는 셔츠에 넥타이까지 매고 있다. 흰 피부는 햇볕에 그을려 불그죽죽 얼룩덜룩하다.

에드먼드는 형보다 열 살 더 어리다. 하지만 키는 몇 센티 더 크고 호리호리하며 까탈스러워 보인다. 제이미가 아버지를 닮아서 어머니와 비슷한 구석이 거의 없는 반면, 에드먼드는 어머니와 더 비슷하다. 하지만 양 부모를 모두 닮았다. 아일랜드인다운 길쭉한 얼굴에서 어머니를 닮은 크고 검은 눈이 눈에 띈다. 입매에서는 어머니처럼 예민한 감수성이 느껴진다. 이마도 어머니와 같은 모양이지만 더 불룩하고, 햇볕에 끝이 붉게 탈색된 짙은 갈색 머리는 뒤로 넘겨져 있다. 하지만 코는 아버지를 닮았으며, 옆모습도 아버지를 연상시킨다. 손은 눈에 띄게 어머니와 비슷한데, 유난히 긴 손가락은 딱 빼닮았다. 둘은 정도가 약하긴 하지만 신경이 예민한 것도 똑같다. 둘이 가장 분명하게 닮은 점은 바로 이 극도로 예민한 기질이다.

에드먼드는 확실히 몸이 안 좋아 보인다. 정상보다 많이 야위고, 눈에는 열기가 있는 것 같으며, 뺨은 움푹 파여 있다. 햇볕에 짙은 갈색으로 탔건만 피부엔 윤기도 없고 혈색도 안 좋다. 그는 코트는 걸치지 않고 셔츠에 칼라를 달고 타이를 맸으며, 오래된 플란넬 바지에 갈색 운동

화를 신고 있다.

메리 (웃음 띤 얼굴로 둘을 돌아보며, 약간은 부자연스럽지만 쾌활한 어조로) 코 곤다고 아빠를 놀리고 있었단다. (티론을 향해) 여보, 애들한테 물어보자고요. 애들도 들었을 거예요. 아니, 제이미, 넌 안 돼. 네 코 고는 소리도 우리 방까지 들리거든. 너도 아버지랑 똑같아. 베개에 머리를 대기가 무섭게 곯아떨어지잖니. 그럼 무적 열 개가 울어대도 깰 줄 모르지. (제이미가 불안하게 탐색하는 듯한 눈초리로 바라보는 걸 알아차리고, 그녀는 재깍 말을 멈춘다. 그녀의 얼굴에서 웃음이 가시고 태도도 부자연스러워진다.) 제이미, 왜 빤히 보는 거니? (그녀의 손이 불안하게 머리로 올라간다.) 머리가 흘러내리나? 이젠 머리를 제대로 올리기도 힘들어. 눈이 너무 침침해서 안경도 못 찾겠고.

제이미 (죄송한 듯 눈을 돌리며) 엄마, 머리는 괜찮아요. 정말 좋아 보여요.

티론 (진심으로) 제이미, 나도 그런 말을 하고 있었단다. 너무 통통하고 생기 있어서, 좀 있으면 안지도 못할 거라고 말야.

에드먼드 맞아요, 엄마. 진짜로 멋져 보여요. (메리가 안심하고 그에게 다정히 웃어 보인다. 그는 장난스럽게 씨익 웃으며 윙크를 한다.) 아버지 코 고는 건 엄마 말이 맞을 거예요. 으, 정말 시끄러워!

제이미 저도 들었어요. (그러곤 풋내기 배우처럼 읊조린다.) "무어 장군이다. 그분의 나팔이다."[2] (어머니와 에드먼드가 웃음을 터뜨린다.)

티론 (가차 없이) 셰익스피어 대사를 기억하는 데 내 코 고는 소리가 필요하다면야 계속 골아줘야지.

메리 그만해요, 여보! 그렇게 화낼 필욘 없잖아요. (제임스는 어깨를 으쓱해 보이고 그녀의 오른편 의자에 앉는다.)

에드먼드 (짜증스럽게) 그래요, 아버지, 제발! 아침 먹자마자 아웅다웅하다니! 좀 그만하실 수 없어요? (형 옆의 탁자 왼편에 있는 의자에 털썩 주저앉는다. 티론은 그런 그를 무시한다.)

메리 (힐난조로) 아버진 널 비난한 게 아니잖니. 그러니까 형 편을 들어줄 필요는 없어. 네가 열 살은 더 많은 것 같구나.

제이미 (따분한 듯) 왜들 난리예요? 잊어버려요.

티론 (경멸조로) 그래, 잊어버려! 전부 잊고, 전부 외면해버려! 야망 없는 인간한텐 편리한 철학이지. 할 줄 아는 게…….

메리 여보, 제발, 그만 진정해요. (달래듯 그의 어깨에 팔을 두른다.) 당신, 오늘 아침 기분이 별론가봐. (아들들을 향해 화제를 바꾸어) 무슨 일인데 공연히 히죽거리며 들어온 거야? 뭐가 그렇게 재미있었는데?

티론 (분위기를 맞추려고 안간힘을 쓰며) 그래, 얘들아, 솔직하게 말해봐. 엄마한테는 내 얘기가 분명하다고 했는데. 신경 쓰지 말고. 이골이 났으니까.

제이미 (건조하게) 저 보지 마세요. 꼬맹이가 한 얘기니까.

---

2 셰익스피어의 《오셀로》 2막 1장에서 이아고가 오셀로의 나팔 소리를 듣고 하는 말.

에드먼드 (씩 웃으며) 아버지, 간밤에 말씀드리려고 했는데 잊어버렸어요. 어제 산책을 나갔다가 술집에 들렀는데…….

메리 (걱정스럽게) 에드먼드, 이제 술 마시면 안 돼.

에드먼드 (못 들은 척하며) 거기서 누굴 만난 줄 아세요? 아버지 농장을 부쳐먹는 그 셔너시 씨를 만났어요. 잔뜩 취해 있더라고요.

메리 (웃으며) 그 지독한 사람! 하지만 재미있는 남자지.

티론 (얼굴을 찌푸리며) 땅주인 쪽에서 보면 별로 재미있는 사람도 아냐. 교활한 주정뱅이 아일랜드인이지. 속이 아주 까매. 투덜거렸을 게 뻔한데. 에드먼드, 무슨 불평을 늘어놓던? 소작료를 깎고 싶어 했겠지. 땅 안 놀리려고 거저로 빌려주었는데도, 쫓아내겠다고 으름장을 놓아야 돈을 내니 원.

에드먼드 아뇨, 아무 불평 없던데요. 사는 게 신나 죽겠는지 술까지 사던데요. 사실 처음 있는 일이었죠. 그렇게 신이 난 건 아버지 친구와 한판 붙었기 때문이에요. 스탠더드 정유사의 부자 하커 있잖아요. 그 사람하고 붙어서 멋지게 이겼대요.

메리 (재미있기도 하고 놀랍기도 해서) 저런! 여보, 당신이 진짜 어떻게 좀 해야 되겠…….

티론 망할 놈의 셔너시, 그래서?

제이미 (심술궂게) 다음에 클럽에서 아버지가 정중하게 고개를 숙여도, 하커가 아버질 못 본 척하겠네요.

에드먼드 맞아. 하커는 아버질 신사가 아니라고 생각할 거예요. 미국의 왕 앞에서도 고분고분할 줄 모르는 작자를 소작인으로 뒀다고요.

티론 사회주의자들이 지껄이는 소리는 신경 안 써. 듣고 싶지도…….

메리 (틈을 안 주고) 에드먼드, 계속해봐.

에드먼드 (아버지를 향해 도발적으로 히죽거리며) 저, 기억나세요, 아버지? 하커네 사유지의 연못이 농장 바로 옆에 있고, 셔너시가 돼지를 키우는 거요. 근데 담장에 틈이 생겨서, 돼지들이 하커네 연못에 가서 목욕을 했대요. 그러자 하커네 관리인이 돼지들을 연못에서 맘껏 놀게 하려고 셔너시가 일부러 담장에 구멍을 낸 게 틀림없다고 일러바친 모양이에요.

메리 (놀라면서도 재미있어하며) 맙소사!

티론 (불쾌해하면서도 감탄하는 기색으로) 내 그 추잡한 망나니 녀석 그럴 줄 알았지. 그놈다워.

에드먼드 그래서 하커가 셔너시를 혼내주려고 직접 납시었다네요. (그러곤 낄낄거린다.) 진짜 실수한 거죠! 부모 돈 물려받아서 부자가 된 작자들이 정신적으로는 별 볼일 없다는 걸, 빼도 박도 못하게 보여주었으니까요.

티론 (생각할 필요도 없이 충분히 이해를 하고) 그래, 그 작잔 셔너시의 맞수가 못 되지. (그러곤 성이 나서 호통을 친다.) 그 빌어먹을 무정부주의자 같은 소리는 입에 올리지도 마. 내 집에선 용납 못 해. (그러나 극심한 궁금증에) 그래서 어떻게 됐는데?

에드먼드 하커가 셔너시를 찾아간 건 제가 잭 존슨[3]하고 맞붙은 거나 마찬가지였어요. 셔너시는 술 몇 잔 걸치고, 문간에서 그를 맞이했답니다. 셔너시 말이, 하커한테 입을 뗄 틈도 안 줬대요. 그러곤 냅다 소리를 질렀답니다. 내가 스탠더드가 맘대로 짓밟을 수 있는 노예인 줄 알아! 네놈한테 권리가 있으면, 나한테도 아일랜드 왕 같은 권리가 있어! 돈 없는 사람들한테서 돈을 얼마나 긁어모았는진 모르지만, 인간쓰레기는 인간쓰레기일 뿐이야!

메리 어머나, 세상에! (그러면서 웃음을 참지 못한다.)

에드먼드 그러고는 내처 대들었답니다. 돼지들을 연못으로 꾀어내 죽여버릴 속셈이었지? 그래서 관리인을 시켜 내 담장을 망가뜨린 거지? 그 바람에 불쌍한 돼지 몇 마리가 독감에 걸려 폐렴으로 죽어가! 몇 마리는 오염된 물을 마시고 콜레라에 걸려 죽어버렸고! 내 당장 변호사 고용해서 손해배상 청구할 거야! 내 농장에 덩굴옻나무나 도깨비바늘, 감자 딱정벌레, 뱀, 스컹크 따위가 들끓는 건 참아도, 늬네가 도둑처럼 침범하는 건 못 참아! 난 경우 바르게 선 그을 줄 아는 정직한 사람이거든. 그러니까 개한테 물어뜯기기 전에 군소리 말고 내 땅에서 냉큼 그 더러운 발 치우는 게 좋을걸! 그랬더니 하커가 정말로 꽁무니를 뺐답니다! (그와 제이미가 웃음을 터뜨린다.)

메리 (놀라면서도 낄낄거리며) 와, 정말 입 거네!

티론 (생각도 하기 전에 탄복부터 하며) 빌어먹을 늙은 불한당 같으

---

3 흑인 최초로 헤비급 챔피언에 등극한 미국의 유명한 권투선수.

니! 그 인간은 아무도 못 당한다니까! (그러면서 웃다가 갑자기 얼굴을 찌푸리고) 저질 깡패! 그놈 때문에 나까지 곤란하게 됐잖아. 내가 노발대발할 거라고 말해주지 그랬니…….

에드먼드 아일랜드인다운 위대한 승리에 아버지도 무척 기뻐하실 거라고 했는걸요. 사실이 그렇잖아요. 아닌 척 그만하세요, 아버지.

티론 글쎄, 굉장히 기쁜 건 아닌데.

메리 (놀리듯) 당신도 기쁘면서 뭘요. 정말로 기쁘면서!

티론 아냐, 메리. 농담은 농담일 뿐이야. 하지만…….

에드먼드 섀너시한테 이런 말도 해줬어요. 연못에 적당히 돼지 간이 밴 걸 고마운 줄이나 알라고 하커한테 쏴붙이지 그랬냐고요.

티론 아니, 그런 소리를! (얼굴을 찡그리며) 그 망할 무정부주의자 사회당원 같은 생각으로 내 일에 끼어들지 마!

에드먼드 섀너시는 그런 생각까진 못했다면서 막 울려고 하던데요. 하커한테 보낼 편지에 그 말도 집어넣겠다고 했어요. 가볍게 넘겨버렸던 모욕들도 따지고 말이죠. (그와 제이미가 웃는다.)

티론 왜 웃는 거야? 뭐가 우습다고. 차-암 착한 아들이다. 망나니가 아비를 소송에 끌어들이려고 하는데 말리지는 못할망정 돕다니!

메리 오, 여보, 흥분하지 말아요.

티론 (제이미를 향해) 부추기는 놈이 더 나빠. 그 자리에 가서 섀너시한테 추잡한 욕들을 더 가르쳐주지 못한 게 한이겠구나. 다른 건 몰라도, 너 그런 일에는 비상하잖니.

메리 여보! 큰애 나무라지 마세요. (제이미는 아버지에게 조롱의 말들을 퍼부어대려다 어깨를 으쓱해 보이고 그만둔다.)

에드먼드 (갑자기 신경질적으로 화를 내며) 오, 아버지, 제발! 말도 안 되는 소리 또 하실 거면, 전 꺼져버릴래요. (벌떡 일어선다.) 책도 위층에 놔뒀고. (그러곤 넌덜머리가 난다는 듯 웅얼거리며 응접실로 간다.) 으이구, 저런 소리 하는 거 지겹지도 않나. (에드먼드가 사라지자, 티론이 화가 나서 그의 뒷모습을 노려본다.)

메리 여보, 작은애 말은 신경 쓰지 말아요. 몸이 안 좋잖아요. (에드먼드가 위층으로 올라가면서 기침을 해대는 소리가 들린다. 그녀가 초조하게 덧붙인다.) 여름 감기에 걸리면 다들 예민해진다니까.

제이미 (진심으로 걱정스러운 듯) 단순한 감기가 아니에요. 심각해요. (티론이 날카롭게 경고의 눈길을 보내지만, 그는 알아차리지 못한다.)

메리 (화가 나서 제이미를 돌아보며) 왜 그런 말을 하는 거니? 그냥 감기일 뿐이야! 누가 봐도 그래! 왜 넌 항상 안 좋은 일만 상상하는 거니!

티론 (제이미에게 다시 경고의 눈길을 보내다 부드럽게) 제이미 말은, 다른 증상 때문에 작은애 감기가 더 악화되는 건지도 모른다는 것뿐이야.

제이미 맞아요, 엄마. 그 뜻이에요.

티론 하디 의사는 열대에서 걸린 말라리아열 때문일지도 모른다고 하더구나. 그게 사실이면, 키니네를 먹으면 곧 나아질 거야.

메리 (메리의 얼굴에서 경멸 섞인 적의가 번뜩 스치고 지나간다.) 하디 선생! 성경책들을 쌓아놓고 맹세한다 해도, 그 작자 말은 안 믿어! 의사들 말은 뻔해. 다들 똑같은 소리만 지껄인다니까. 환자들을 계속 불러들이려고 물불을 안 가리지. (그들이 그녀를 뚫어져라 쳐다보자, 갑자기 극심한 자의식에 사로잡혀 말을 멈춘다. 그녀의 손이 경련을 일으키듯 불안하게 머리로 올라간다. 억지웃음을 지으며 말한다.) 왜 그래? 왜 그렇게 쳐다보는 거야? 머리가……?

티론 (자책감을 느끼며, 그녀의 몸에 다정히 팔을 두르고 장난스럽게 안는다.) 머리는 괜찮아. 당신은 건강하고 통통해질수록 외모에 더 신경 쓰는 것 같아. 좀 있으면 거울 앞에서 치장하는 데 반나절은 보내겠어.

메리 (반쯤 안도하며) 정말이지, 새로 안경을 장만해야겠어요. 이젠 눈이 너무 침침해.

티론 (아일랜드인답게 애교 있는 어조로) 당신 눈은 아름다워. 당신도 알잖아. (그녀에게 키스를 하자, 그녀가 매력적으로 얼굴을 환하게 밝히며 수줍어 어쩔 줄 몰라 한다. 순간 놀랍게도, 그녀의 얼굴에 망자의 혼령 같은 모습이 아니라, 그녀가 한때 갖고 있었으며 아직도 간직하고 있는 소녀 같은 모습이 나타난다.)

메리 여보, 이렇게 채신머리없이 굴면 어떡해요. 큰애가 바로 앞에 있는데!

티론 오, 쟤도 당신 속 다 아는데 뭐. 칭찬받고 싶어서 일부러 눈이며 머리를 갖고 호들갑 떤다는 거 쟤도 알아. 큰애야, 안 그러냐?

제이미 (역시 얼굴이 환해진다. 어머니를 향해 다정히 웃는 얼굴 속에서 오래전의 소년 같은 매력이 되살아난다.) 맞아요. 우린 못 속여요, 엄마.

메리 (웃다가, 아일랜드인다운 경쾌한 리듬이 실린 목소리로) 둘 다 그만해요! (그러곤 소녀처럼 진지하게) 옛날에 내 머리가 아름답긴 했지. 안 그래요, 여보?

티론 세상에서 제일 아름다웠지!

메리 드물게 불그레한 갈색인 데다 무릎까지 길었어. 큰애, 너도 기억날 거야. 에드먼드가 태어나기 전까진 새치 한 올 없었잖아. 그 후로 세기 시작했지만. (소녀 같은 기색이 얼굴에서 사라진다.)

티론 (황급히) 그래서 작은애 낳고 나서 더 아름다워졌잖아.

메리 (다시 어쩔 줄 몰라 하며 기뻐한다.) 큰애야, 아버지 말 들었지? 결혼한 지 삼십오 년이나 됐는데! 훌륭한 배우는 거저 되는 게 아냐, 안 그래? 그런데 당신, 왜 이러는 거예요? 코 곤다고 놀린 거 눠우치라고, 악을 선으로 갚는 거예요? 그렇담, 몽땅 취소하죠. 내가 들은 건 아마 무적 소리일 거예요. (그녀가 웃자, 그들도 따라 웃는다. 그러자 그녀의 태도가 딱딱하면서도 활기차게 바뀐다.) 하지만 칭찬을 해준대도 이젠 일어나야 해요. 요리사 만나서 저녁 메뉴랑 시장 보는 거 의논해야 하거든요. (그녀는 일어서면서 우스꽝스럽게 과장해서 한숨을 내쉰다.) 브리지트는 너무 게을러요. 교활하기도 하고. 기회를 봐서 따끔하게 한마디 해주려고 하면, 친척들 얘기만 한다니까요. 음, 그래도 혼을 내줘야지. (뒷방 문간으로 가다가, 다시 걱정스러운 얼굴로 돌아선다.) 여보, 작은애한테 정원일 시키면 안 돼요. (그러곤 다시 묘하게 고집스러운 얼굴로) 걔가 약해서가 아니고, 땀 흘리면 감기가 악화될 수 있잖아요. (그녀가 뒷방으로 사라지자, 티론이 한심하다는 듯 제이미를 쳐다본다.)

티론 이 얼빠진 놈! 넌 생각도 없어? 에드먼드 문제로 네 엄마를 더 걱정시키는 말은 일절 말았어야지.

제이미 (어깨를 으쓱하며) 알았어요. 아버지 맘대로 하세요. 하지만 전 어머니가 계속 자신을 속이게 내버려두는 건 옳지 않다고 생각해요. 나중에 사실에 직면하면, 충격만 더 커질 거예요. 그런데도 보시다시피, 어머닌 여름 감기 어쩌고 하면서 자신을 속이고 있어요. 사실을 알면서도 말이죠.

티론 안다고? 아직은 누구도 몰라.

제이미 글쎄요, 전 알아요. 월요일에 에드먼드가 하디 의사 만나러 갈 때 저도 같이 갔었거든요. 의사가 말라리아 증상 얘기 하는 걸 들었어요. 하지만 그는 이도 저도 못하게만 하고 있죠. 말라리아에 걸린 건 아니라고 생각하면서도요. 아버지도 아시잖아요. 어제 시내에 갔을 때 의사 찾아가서 이야기 나누신 거 아니에요?

티론 의사도 확실한 얘기는 아무것도 할 수 없다고 했어. 오늘 에드먼드 만나기 전에 전화하기로 했는데.

제이미 (느리게) 아버지, 의사가 폐병 같다고 하진 않던가요?

티론 (마지못해서) 그럴지도 모른다고는 하더구나.

제이미 (울컥해서 동생에 대한 연민을 드러내며) 불쌍한 녀석! 제기랄! (아버지를 향해 비난하듯) 처음부터 제대로 된 의사한테 보냈으면 이렇겐 안 됐을 거 아녜요!

티론 하디가 어때서? 항상 우리를 진료해줬는데.

제이미 그 의사는 하나도 맘에 드는 게 없어! 이 시골 촌구석에서도 삼류밖에 안 되잖아요! 늙은 싸구려 의사!

티론 그래! 헐뜯어! 모두들 헐뜯으라고! 너한테는 죄다 사기꾼 같을 테니까!

제이미 (경멸하듯) 하디는 일 달러밖에 안 받죠. 그래서 좋은 의사라고 생각하는 거잖아요!

티론 (뜨끔해서) 그만하자! 술도 안 취했잖아! 핑계거리도 없으면서……. (자제하며 약간 방어적으로) 부자들을 뜯어먹고 사는 상류층 의사를 댈 능력이 아비한테 없다는 말이면…….

제이미 능력이 없다고요? 근방에서 알아주는 땅부잔데요?

티론 땅이 많다고 부자는 아니지. 몽땅 저당 잡혀 있으니…….

제이미 융자금은 안 갚고 만날 땅만 사들이니까 그렇죠. 에드먼드가 아버지가 좋아하는 그 개떡 같은 땅이었으면, 돈을 무한정 퍼부었을 걸요!

티론 그건 잘못된 생각이야! 의사 선생을 비웃는 것도 그렇고! 그는 잘난 척도 안 하고, 부자 동네에 병원을 갖고 있지도 않아. 비싼 자동차를 몰고 돌아다니지도 않고. 실력도 없으면서 혀 한번 들여다보고 오 달러나 청구하는 의사들은 허튼 데 돈을 처바르지만 말야.

제이미 (경멸하듯 어깨를 으쓱하고) 오, 그러셔요. 말을 한 제가 바보죠. 본성이 어디 가나요.

티론 (더욱 격분해서) 그럼, 어디 안 가지. 네가 그 증거잖냐. 네가 변할 거라는 희망은 전부 버렸어. 감히 나한테 능력 운운해? 넌 일 달러의 가치를 몰라. 앞으로도 절대 모를 거고! 평생 돈 한 푼 저축해보지도 않았잖아! 시즌이 끝나면 언제나 땡전 한 푼 없었어! 매주 창녀와 위스키에 개런티를 탕진해버렸으니까!

제이미 개런티라고요! 제기랄!

티론 그것도 너한테는 과분해. 나 아니면 그나마도 못 받아. 내 아들만 아니면, 어느 감독이 너한테 배역을 주겠냐? 평판이 어지간해야지. 사실을 말해줄까. 내가 임마, 자존심 다 죽이고 구걸하다시피 했어! 아들놈이 마음 고쳐먹고 새출발했다고 말이야. 거짓말인 줄 다 알면서!

제이미 전 배우 되고 싶은 맘 없었어요. 아버지가 억지로 무대에 세운 거지.

티론 무슨 소리! 넌 다른 일 찾아보려고 노력도 안 했어. 일자리 구하는 것까지 나한테 떠넘겼지. 난 연극계 말고는 힘쓸 수 있는 데가 없었고. 그런데 뭐? 억지로? 술집에서 빈둥거리기 좋아하는 녀석이! 넌 아마 게으른 멍청이처럼 팔짱 끼고 앉아서 남은 평생 아비한테 빌붙어 살 거야! 그렇게 돈을 처들였는데, 대학에 들어가는 족족 창피하게 퇴학이나 당하고!

제이미 오, 제발, 그 케케묵은 얘기 좀 들추지 말아요!

티론 케케묵은 얘기라고? 지금도 여름마다 집에 와서 나한테 빌붙어 사는 녀석이.

제이미 정원 일로 먹고 자는 값은 하잖아요. 덕분에 일꾼도 안 쓰고요.

티론 칫! 그 일도 닦달을 해야 겨우 하는 주제에! (분노를 누그러뜨리고, 지친 듯 푸념을 늘어놓는다.) 고마운 기색이라도 좀 있으면 나도 신경 안 써. 그런데 고마워하기는커녕, 아비를 야비한 수전노라고 비웃고, 내 일도 비웃고, 저만 빼고 세상 모든 걸 비웃기만 하니.

제이미 (얼굴을 일그러뜨리고) 아니에요, 아버지. 제 속을 몰라서 그러시는 거예요. 정말이에요.

티론 (알 수 없다는 표정으로 제이미를 노려보다가, 기계적으로 읊조린다.) "배은망덕, 잡초 중에 잡초라네!"

제이미 그 소리 나올 줄 알았지! 으이구, 몇천 번은 들었을 거야! (말씨름에 진력이 나서, 멈추고 어깨를 으쓱한다.) 그래요, 아버지. 전 식충이에요. 뭐라 불러도 좋으니까, 이제 그만해요.

티론 (이제는 분노 섞인 호소조로) 머릿속에 어리석음 말고 야망이 들었으면 좀 좋아! 넌 아직 젊어. 아직 이름을 떨칠 수 있다고. 훌륭한 배우가 될 자질이 있어! 아직 있어! 넌 내 아들이야……!

제이미 (지겨운 듯) 제 얘긴 그만하죠. 그런 얘기엔 관심 없어요. 아버지도 그렇잖아요. (티론은 포기해버린다. 제이미가 아무렇지도 않은 듯 말을 계속한다.) 어쩌다 이런 얘기까지 하게 됐죠? 아, 의사 선생 얘기를 했었죠. 에드먼드 문제로 언제 전화하기로 했다고요?

티론 점심때쯤. (사이를 두었다가 방어적으로) 에드먼드한테 더 좋은 의사는 없어. 에드먼드가 무릎만큼 컸을 때부터 걔를 치료해 주었잖니. 하디는 걔 체질을 누구보다도 잘 알아. 네 생각처럼 내가 인색해서 그런 게 아니란 말이다. (신랄하게) 그리고 미국 최고의 전문의인들 에드먼드한테 뭘 해줄 수 있겠니? 대학에서 쫓겨난 후로 에드먼드 스스로 방탕하게 생활하면서 건강을 망쳐버렸는데? 고등학교 다닐 때도 걘 널 흉내 낸답시고 방탕하게 생활했어. 브로드웨이에서 유흥을 즐겼지. 감당할 체력도 못 되면서 말이야. 넌 날 닮아서 튼튼하고 몸집도 좋지. 적어도 에드먼드 나이 때는 그랬어. 하지만 에드먼드는 네 엄마처럼 늘 예민하고 약했지. 그래서 몸이 배겨내지 못할 거라고 계속 주의를 줬는데도, 귀담아듣지 않더구나. 이젠 너무 늦었어.

제이미 (날카롭게) 너무 늦었다니 무슨 말씀이세요? 아버지 말씀은 마치…….

티론 (죄책감을 느끼며 폭발하듯) 바보처럼 굴지 마! 누구나 아는 사실을 말했을 뿐이야! 걔 건강이 나빠져서 오랫동안 맥없이 지낼 수도 있다는 뜻일 뿐이라고.

제이미 (변명을 무시하고 아버지를 노려보며) 아일랜드 농부들이 폐병을 죽을병으로 여긴다는 거 알아요. 습지 오두막에 살던 시절에는 그랬겠죠. 하지만 지금은 현대적인 치료를 받으면…….

티론 내가 그걸 몰라? 그건 그렇고, 뭔 소리를 지껄이는 거야? 그 더러운 입으로 아일랜드인 어쩌고 하지 마. 농부들이든 습지든 오두막이든 비웃지 말라고! (비난하듯) 에드먼드 병도 입에 안 올리는 게 네 양심에 더 좋아! 네 책임이 가장 크니까!

제이미 (뜨끔해서) 아니에요. 그런 말만은 참을 수 없어요!

티론 사실이잖아! 넌 걔한테 가장 안 좋은 영향을 미쳤어. 걘 널 영웅으로 생각하며 자랐는데 말이야! 아주 훌륭한 본보기였지! 넌 못된 것만 가르쳤어! 나이보다 조숙하게 만들고, 머릿속에 네 그 알량한 처세술만 잔뜩 집어넣었지. 인생의 실패로 정신이 썩어버린 주제에. 남자는 영혼을 팔아먹는 불한당이고, 여자는 죄다 창녀나 멍청이라고 말이야. 아직 어린 앨 붙들고!

제이미 (다시 피로와 무심함이 묻어나는 방어적인 태도로) 그래요. 에드먼드한테 세상 돌아가는 걸 가르쳐줬어요. 하지만 걔가 야단법석을 떨기 전에는, 절 비웃기 전에는 안 그랬어요. 형답게 좋은 충고를 해주려고 했죠. 걔한테 친구가 돼주고, 솔직하게 대해줬다고요. 제 실수를 통해 배우라고……. (냉소적으로 어깨를 으쓱하며) 훌륭한 사람은 못 돼도 최소한 신중한 사람은 돼야 한다는 걸 깨닫게요. (티론이 같잖다는 듯 코웃음을 치자, 제이미가 갑자기 정말로 울컥한다.) 아버지, 그건 말도 안 되는 비난이에요. 제가 꼬맹이를 얼마나 소중하게 생각하는지, 우리가 얼마나 가까운지 아시잖아요. 보통 형제들과는 다르다고요! 전 걜 위해서 뭐든 할 거예요.

티론 (감동받아 달래는 어조로) 큰애야, 네가 최선이라 여기고 그랬다는 거 나도 안다. 네가 걜 망치려고 일부러 그랬다는 말은 아니야.

제이미 그것만 갖고 그러는 게 아니에요! 지 맘이 안 내키면, 걘 누구의 영향도 안 받는 애라고요. 개가 조용하니까, 사람들은 자기들 맘대로 주무를 수 있다고 착각하죠. 하지만 개가 얼마나 고집이 센데요. 다른 사람이 뭐라든 자기 원하는 것만 해요! 그런데 지난 몇 해 동안 뱃사람으로 곳곳을 떠돌면서 벌인 그 바보 같은 짓거리들이 저랑 무슨 상관이냔 말예요. 전 그렇게 지내는 건 어리석은 짓이라고 생각했고, 걔한테도 그렇게 말해줬어요. 아버지도 제가 남미에 갔다가 배에서 쫓겨나 지저분한 지하방에서 살거나 싸구려 술을 마시는 걸 좋아한다고 생각하시지는 않겠죠? 천만에요! 전 브로드웨이와 목욕탕이 달린 방, 창고에 묵혀두었던 버번을 마실 수 있는 술집을 사랑해요.

티론 너와 브로드웨이라! 브로드웨이가 지금의 너를 만들었지! (대견한 기색으로) 에드먼드는 뭐든 혼자 시작하는 배짱이 있었고, 실패해도 질질 짜면서 날 찾아오지 않았어.

제이미 (찔끔하다가 질투심에 빈정거린다.) 걔도 결국은 늘 파산해서 집으로 돌아왔잖아요. 거기다 그렇게 멀리 떠나서 어떻게 됐죠? 지금의 걜 봐요! (그러다 갑자기 창피한 얼굴로) 젠장! 이런 비열한 소릴 지껄이다니. 이럴 생각이 아니었는데.

티론 (이 말을 단호하게 무시하고) 신문사 일은 잘해왔잖니. 드디어

원하던 일을 찾은 거길 바랐는데.

제이미 (다시 질투심을 드러내며 냉소적으로) 그깟 촌구석 신문요! 사람들이 아버지한테 무슨 허풍을 떨었는지 모르지만, 저한테는 걔가 정말 무능한 기자라고 하던데요. 걔가 아버지 아들만 아니어도……. (다시 수치심을 느끼고) 아뇨, 아니에요! 그 애가 있어서 좋다고 했어요. 하지만 걔가 그럭저럭 안 잘린 건 특별 기고문들 덕분이에요. 걔가 쓴 몇몇 시나 패러디들은 아주 좋았죠. (다시 불만스러운 어조로) 하지만 그걸로 최고가 될 수는 없어요. (황급하게) 출발이 좋은 건 분명하지만.

티론 그래. 걘 출발은 했어. 하지만 넌 뭐니? 기자가 되고 싶다고 말만 했지, 바닥부터 시작할 생각은 안 했잖아. 그저 바라기만…….

제이미 제발, 아버지! 저 좀 그만 괴롭힐 수 없어요?

티론 (제이미를 쳐다보다 시선을 돌린다. 잠시 사이를 둔 후) 지금 같은 때 몸이 아프다니 작은앤 정말 운도 없어. 병에 걸리면 안 되는 시긴데. (내밀한 불안을 감추지 못하고 덧붙인다.) 네 엄마한테도 그래. 걱정 없이 맘 편하게 지내야 할 시기에 이 일로 심란하니, 정말 안 됐어. 집에 온 후로 두 달 사이에 아주 좋아졌는데. (그의 목소리가 갈라지면서 살짝 떨린다.) 나한테는 천국이었어. 이 집도 다시 집 같아졌고. 말 안 해도 알지? (제이미는 처음으로 이해와 연민의 마음으로 그를 바라본다. 갑자기 둘 사이에 깊은 공감대가 형성되면서, 서로를 향한 적대감도 사라져버리는 것 같다.)

제이미 (대체로 부드럽게) 아버지, 제 맘도 똑같아요.

티론 그래, 이번에 네 엄마가 얼마나 강하고 자신 있는 사람인지 확인했을 거야. 다른 때랑은 전혀 다르지. 마음을 잘 다스리고 있어. 아니, 작은애가 아프기 전까지는 그랬어. 그런데 너도 느끼다시피, 이제는 속으로 점점 긴장하고 두려워하고 있어. 네 엄마한테 비밀로 할 수 있으면 좋으련만. 작은애를 요양원으로 보내야 한다면 그럴 수 없겠지. 거기다 네 외할아버지도 폐병으로 돌아가셨어. 존경하던 분이라 네 엄만 결코 못 잊지. 그래, 엄마한텐 힘든 일일 거야. 하지만 네 엄마도 할 수 있어! 이젠 의지력이 생겼으니까! 큰애야, 우리도 할 수 있는 만큼 엄마를 도와야 해!

제이미 (감동해서) 그래요, 아버지. (머뭇거리며) 신경이 예민한 것만 빼면, 오늘 아침에는 아주 좋아 보였어요.

티론 (이제 정말로 확신을 갖고) 최고였지. 농담도 하고 장난기도 가득했어. (갑자기 미심쩍다는 듯 제이미를 보고 얼굴을 찌푸리며) 좋아 보였다니, 무슨 뜻이냐? 안 좋을 이유라도 있다는 거야? 대체 무슨 의미냐?

제이미 버럭 화부터 내지 좀 마세요! 안 싸우고도 솔직하게 이야기할 수 있잖아요.

티론 미안하구나. (긴장해서) 계속해봐라.

제이미 얘기할 것도 없어요. 제가 전부 잘못 안 거예요. 그냥 간밤에……. 저, 아버지도 아시다시피, 지난 일을 잊기가 힘들어요. 의심을 떨칠 수가 없다고요. 아버지처럼요. (비통하게) 그래서 괴로워요. 엄마도 괴롭게 만들고! 우리가 지켜보고 있다는 걸 엄마도 아시니까…….

티론 (착잡하게) 나도 안다. (긴장해서) 그런데 간밤에 뭐? 솔직하게 말해줄 수 없겠니?

제이미 아무것도 아니라고 했잖아요. 그냥 제가 잘못 안 거예요. 오늘 새벽 세 시경에 눈을 떴는데, 엄마가 손님방에서 어슬렁거리는 소리가 들리더라고요. 엄마는 곧 욕실로 갔지요. 전 자는 척했고요. 그런데 제가 자는 걸 확인하고 싶었는지, 복도에서 계속 귀를 기울이는 것 같았어요.

티론 (억지로 비웃으며) 그게 다야? 무적 소리 때문에 밤새 한잠도 못 잤다고 네 엄마가 직접 말했어. 그리고 작은애가 아프고부터는 밤마다 걔 방에 들락날락하면서 상태를 확인해.

제이미 (간절하게) 네, 맞아요. 정말로 에드먼드 방 앞에서도 귀를 기울이시더라고요. (다시 머뭇거리며) 제가 두려운 건 엄마가 손님방에 계셨기 때문이에요. 엄마가 그 방에서 혼자 주무실 때면 언제나…….

티론 이번엔 아냐! 간단해. 간밤에 내가 그렇게 코를 골아댔는데, 달리 피할 데가 어딨었겠냐?

(그러면서 버럭 화를 내고 만다.) 아이고, 만사를 그렇게 나쁘게만 보는 심보로 어떻게 살아갈래!

제이미 (찔끔해서) 그렇게 비약하지 마세요! 제가 전부 잘못 생각한 거라고 그랬잖아요. 아버지 못지않게 저도 기뻐하고 있다는 거 모르세요?

티론 (달래듯이) 큰애야, 나도 안다. (사이. 그의 표정이 어두워진다. 그러더니 미신적인 두려움을 안고 천천히 말한다.) 네 엄마가 에드먼드 걱정 때문에 또 벗어나지 못한다면, 그건 저주인지도 몰라. 걔를 낳고 오래 아팠을 때, 네 엄마가 처음으로…….

제이미 엄만 그 일과는 아무 상관 없어요!

티론 네 엄마를 탓하는 게 아냐.

제이미 (신랄하게) 그럼 누굴 탓하시는 거죠? 에드먼드요? 왜 태어났냐고요?

티론 이 머저리 같은 자식! 누구 탓을 하는 게 아냐.

제이미 돌팔이 의사 탓이죠! 엄마 말이, 그 의사도 하디 같은 싸구려 돌팔이였다더군요! 아버지가 일류 의사한테 줄 돈이 아까워서…….

티론 그건 사실이 아냐! (격분해서) 그래서 내 탓이란 말이냐? 지금, 그 말 아냐? 이 못된 건달 같으니!

제이미 (식당에서 어머니의 기척을 듣고 주의를 준다.) 쉿! (티론은 벌떡 일어나 오른편 창가로 가서 밖을 내다보고, 제이미는 완전히 달라진 어조로 말한다.) 저, 오늘 울타리 다듬으려면, 지금 일하러 가는 게 좋겠어요. (메리가 뒷방에서 들어온다. 그녀는 불안하게 자신을 의식하는 태도로 두 사람에게 번갈아 의심 어린 눈길을 보낸다.)

티론 (창가에서 몸을 돌리며 배우처럼 거리낌 없는 어조로) 그래, 안에서 옥신각신하기엔 너무 화창한 아침이야. 여보, 창밖을 봐. 항구에 안개가 하나도 없어. 안개 철도 이젠 다 지난 것 같아.

메리 (그에게로 다가가며) 그랬으면 좋겠어요, 여보. (제이미에게 억지로 웃음을 지으며) 큰애야, 네가 울타리 손질하자는 소리가 들리던데, 정말이니? 이런 놀라운 일이! 용돈이 마른 모양이지?

제이미 (농담조로) 언제 안 그런 적 있나요? (아버지를 비웃듯이 슬쩍 쳐다보며 어머니에게 윙크를 보낸다.) 큼직한 일 달러짜리 은화 한 닢은 받아야 실컷 퍼마실 수 있을 텐데!

메리 (제이미의 농담에는 대꾸도 않고, 떨리는 손을 드레스 앞섶으로 가져간다.) 둘이 무슨 얘기 하고 있었어?

제이미 (어깨를 으쓱하며) 만날 같은 얘기죠 뭐.

메리 네가 의사 어쩌고 하는 소릴 들었는데. 아버진 너보고 심보가 고약하다고 나무라고.

제이미 (황급히) 아, 그거요. 제가 보기에 하디 선생이 이 세상에서 최고로 훌륭한 내과의는 아닌 것 같다는 이야길 다시 하고 있었어요.

메리 (거짓말임을 감지하고, 멍하게) 어, 그래? 내 생각도 그래. (억지로 웃으며, 화제를 바꾼다.) 브리지트 말이야! 못 빠져나오는 줄 알았어. 세인트루이스에서 경찰대에 근무하는 육촌 얘길 어찌나 늘어놓던지. (그러곤 예민하게 신경질적으로) 그런데 울타리 다듬는다면서 왜 안 가? (서둘러) 내 말은, 다시 안개가 끼기 전에, 화창할 때 하란 말이야. (혼잣말을 하는 것처럼 묘한 어조로 크게) 다시 낄 거니까. (둘이 뚫어지게 쳐다보는 걸 퍼뜩 깨닫고, 당황해서 손을 들어 올린다.) 그러니까, 내 관절염 걸린 손 덕분에 다 알 수 있어. 여보, 당신보다 내 손이 일기를 더 정확하게 맞춰. (혐오감에 넋을 잃고 자신의 손을 노려보며) 우! 너무 못생겼어! 옛날엔 아름다웠는데, 누가 믿겠어? (티론과 제이미는 점점 커지는 두려움을 안고 가만히 그녀를 바라본다.)

티론 (부드럽게 그녀의 손을 잡아 내리면서) 자, 자, 여보, 그런 바보 같은 소리 그만해. 당신 손은 세상에서 최고로 예뻐. (그녀는 웃으며 환한 얼굴로 그에게 고맙다는 듯 키스를 한다. 그는 제이미 쪽으로 돌아선다.) 큰애야, 어서 가자. 네 엄마가 나무라는 건 당연해. 일은 시작해야 한다고 할 수 있는 거거든. 뙤약볕 아래서 땀 흘리다 보면, 그 허리에 붙은 술살도 좀 빠질 거야. (그는 방충문을 열고 베란다로 나가 정원으로 향하는 계단을 내려간다. 제이미도 의자에서 일어나 코트를 벗고 문간으로 간다. 문간에 다다라 돌아보지만, 어머니와 눈이 마주치는 건 피한다. 그녀도 그를 보지 않는다.)

제이미 (어색하고 불안해하면서도 다정하게) 우리 모두 어머니가 정말 자랑스러워요. 죽도록 행복하기도 하고요. (그녀는 뻣뻣하게 긴장해서, 겁에 질린 반항적인 눈으로 아들을 쳐다본다.) 그래도 아직은 조심하셔야 해요. 에드먼드 걱정은 너무 마시고요. 좋아질 거니까.

메리 (대단히 분개한 고집스런 표정으로) 아무렴, 괜찮아지고말고. 그런데 조심하라니, 무슨 말인지 모르겠구나.

제이미 (어머니의 부인에 상처를 입고, 어깨를 으쓱한다.) 알았어요, 엄마. 말한 제가 잘못이죠. (그는 베란다로 나간다. 메리는 아들이 계단 아래로 사라질 때까지 꼼짝도 않다가, 그가 앉았던 의자에 털썩 주저앉는다. 얼굴에선 감춰두었던 절망과 두려움이 드러나고, 두 손은 탁자 위를 배회하며 물건들을 아무렇게나 이리저리 옮긴다. 그러는 중에 에드먼드가 계단을 내려오는 소리가 들린다. 계단 아래에 이르러 그는 발작적으로 기침을 해댄다. 그녀는 이 소리를 피해 도망이라도 치고 싶은 듯, 벌떡 일어나 황급히 오른편 창가로 가서, 에드먼드가 한 손에 책을 든 채 응접실에서 들어오자 평온한 얼굴을 가장하고 창밖을 내다본다. 그러다 어머니답게 반기는 웃음을 꾸며내며 아들을 향해 돌아선다.)

메리 왔니? 널 찾아 위층으로 올라가려던 참이었는데.

에드먼드 아버지하고 형이 나갈 때까지 기다렸어요. 말싸움에 휘말리고 싶지 않아서요. 기분이 너무 안 좋아서.

메리 (분개한 것 같은 어조로) 아이고, 또 엄살이구나. 애들같이. 일부러 식구들을 걱정시켜서 소란을 떨게 만들다니. (황급히) 얘야, 그냥 놀려본 거야. 얼마나 불편할지 잘 알아. 그래도 오늘은 한결 낫지 않니? (걱정스러운 듯 그의 팔을 잡으며) 그래도 너무 말랐어. 넌 푹 쉬어야 해. 내가 편안하게 해줄게, 앉아. (에드먼드가 흔들의자에 앉자, 메리는 그의 등에 베개를 받쳐준다.) 자, 기분이 어때?

에드먼드 좋아요. 고마워요, 어머니.

메리 (그에게 키스를 해주고 다정하게) 넌 엄마만 있으면 돼. 몸집만 컸지, 아직 애라니깐.

에드먼드 (그녀의 손을 잡고 아주 진지하게) 저는 신경 쓰지 마시고요. 어머니 몸이나 잘 돌보세요. 중요한 건 그것뿐이에요.

메리 (그의 눈길을 피하며) 하지만 얘야, 난 괜찮아. (억지로 웃으며) 내가 얼마나 뚱뚱해졌는지 안 보이니? 옷들을 죄다 늘려야 할 판이라니까. (몸을 돌려 오른편 창가로 가, 짐짓 가볍고 경쾌한 어조로) 울타리를 깎기 시작했네. 가엾은 제이미! 지나가는 사람들이 다 본다고, 정원 앞쪽에서 일하는 걸 죽기보다 싫어하는데. 채트필드네가 새로 산 메르세데스를 타고 지나가네. 아름다운 차 아니니? 우리 중고 패커드하고는 달라. 불쌍한 제이미! 그들이 못 보게 울타리 밑에 푹 수그리고 있어. 그들이 아버지한테 인사를 해. 답례로 아버지도 커튼콜 받았을 때처럼 목례를 하고. 내다버리라고 그렇게 일렀는데, 꾀죄죄하게 저 낡은 옷을 입다니. (신랄해진 목소리로) 자신을 웃음거리로 만들지 않게, 아버진 자존심을 좀 키워야 해.

에드먼드 다른 사람들 생각에 신경 안 쓰는 건 좋은 태도예요. 딴 사람들 신경 쓰는 형이 바보 같은 거지. 이 시골구석 아니면, 누군지 알기나 하겠어요?

메리 (흡족해서) 아무도 모르지. 네 말이 백번 옳아. 우물 안 개구리들이지. 형이 어리석은 거야. (사이를 두었다가, 창밖을 내다본다. 그러다 외로움과 동경이 서린 목소리로) 그래도 체트필드네 같은 사람들은 무언가 내세울 거라도 있지. 부끄럽지 않은 번듯한 집이 있잖아. 거기다 즐겁게 어울릴 친구들도 있고. 사람들과 단절되어 있지 않아. (돌아서며) 그렇다고 저 사람들과 어울리고 싶다는 말은 아냐. 난 언제나 이 읍내와 이곳 사람들이 싫었어. 너도 알 거야. 난 처음부터 여기 살고 싶지 않았어. 그런데 너희 아버지가 고집을 피워서 이 집을 짓는 바람에, 여름마다 여기 와서 지내야 했지.

에드먼드 글쎄요, 뉴욕의 호텔에서 여름을 보내는 것보단 낫지 않아요? 여기가 그렇게 형편없지도 않고요. 저는 퍽 마음에 드는데요. 여기 말곤 집을 가져본 적이 없어서인 것 같지만.

메리 난 우리 집이라고 느껴본 적이 없어. 처음부터 잘못됐으니까. 모든 게 싸구려 중의 싸구려로 돼 있잖아. 그런데도 너희 아버진 집을 제대로 꾸미는 데 돈을 안 들이려고 해. 여기서 친구 하나 없이 지내는 게 오히려 다행인지도 몰라. 사람들을 집에 들이기도 창피하니까. 게다가 너희 아버진 집안끼리 가깝게 지내는 것도 싫어하잖니. 다른 사람 집에 놀러가는 것도, 사람들을 초대하는 것도 싫어하지. 클럽이나 술집에 가서 남자들이랑 어울리는 거나 좋아하고 말이야. 형이랑 너도 똑같아. 하지만 네 탓은 아니지. 넌 여기서 점잖은 사람들을 만날 기회를 한 번도 가져보지 못했으니까. 너희 둘 다 참한 아가씨들하고 어울릴 수 있었다면, 아주 달라졌을 텐데. 이렇게 망신을 당해서, 점잖은 부모들이 자기 딸내미들하고 못 어울리게 하지도 않았을 거고.

에드먼드 (짜증이 나서) 으, 엄마, 잊어버려요! 누가 신경이나 쓴대요? 형이나 저나 그런 여자들은 따분해서 질색이에요. 그리고 노친네 얘기 말인데요. 그런 얘긴 해서 뭐해요? 엄마가 아버지를 바꿀 수 있는 것도 아닌데.

메리 (기계적으로 나무란다.) 아버지를 노친네라고 부르다니. 버릇없이 그게 뭐니? (그러고는 멍하게) 말해도 소용없다는 거 나도 알아. 하지만 가끔은 너무 외로워. (입술이 떨린다. 그녀는 계속 고개를 돌리고 있다.)

에드먼드 그래도 어머니, 말은 바로 해야죠. 처음에는 모든 게 아버지 탓이었는지 몰라도, 나중엔, 어머니도 알다시피, 아버지가 원해도, 사람들을 여기로 불러들일 수 없어서……. (죄책감에 더듬거린다.) 그러니까 제 말은, 어머니가 사람들을 초대하고 싶지 않았을 거란 말이에요.

메리 (멈칫한다. 입술을 안쓰럽게 계속 떨며) 그만. 지난 일을 떠올리는 건 참을 수 없어.

에드먼드 그런 식으로 받아들이지 마세요! 제발, 엄마! 도와드리려는 거예요. 잊어버리는 건 엄마한테 안 좋아요. 기억해내는 게 올바른 방법이죠. 그래야 항상 조심할 수 있잖아요. 전에 무슨 일이 있었는지 아시잖아요. (비참하게) 오, 엄마, 저도 들춰내고 싶지 않아요. 그래도, 이렇게 돌아오셔서 전처럼 지내는 게 너무 좋아서 그러는 거예요. 혹시 다시 끔찍한 일이…….

메리 (고통스럽게) 얘야, 제발. 나한테 잘하라고 이런다는 거 알지만……. (다시 방어하는 마음과 불안이 깃든 목소리로) 갑자기 왜 이러는지 모르겠구나. 오늘 아침 무슨 생각이 들었길래 이러는 거니?

에드먼드 (얼버무린다.) 아무것도 아니에요. 그냥 언짢고 우울해서 그런 것 같아요.

메리 솔직하게 말해봐. 왜 갑자기 이렇게 의심이 많아진 거지?

에드먼드 아니라니깐요!

메리 아니긴. 다 알아. 아버지하고 형도 그렇고. 특히 네 형.

에드먼드 소설 좀 그만 써요, 엄마.

메리 (손을 불안하게 떨며) 이렇게 계속 의심하면 견디기가 더 힘들어. 모두들 날 염탐해. 믿지도, 신뢰하지도 않아.

에드먼드 어머니, 말도 안 돼요. 우린 정말로 어머니를 믿어요.

메리 하루, 아니 반나절이라도 벗어날 수 있다면. 심각한 얘기는 접고, 그냥 같이 웃고 떠들 여자 친구만 있어도. 잠시라도 잊게 말이야. 멍청한 캐슬린 같은 하녀 말고!

에드먼드 (걱정스러운 얼굴로 일어나 두 팔로 어머니를 감싸 안는다.) 그만해요, 어머니. 아무것도 아닌 일로 흥분하면 안 돼요.

메리 네 아버진 외출이라도 하지. 술집이나 클럽에 가서 친구들을 만나잖니. 너하고 형도 친구가 있어. 너희들도 외출을 하지. 하지만 난 혼자야. 언제나 혼자라고.

에드먼드 (달래듯) 이런! 사실이 아니란 거 엄마도 알잖아요. 형이나 제가 언제나 엄마 곁에서 동무해드리잖아요. 드라이브할 때도 같이 가주고요.

메리 (따끔하게) 날 혼자 두는 게 못 미더워서 그런 거지! (그를 돌아보며 날카롭게) 오늘 아침 왜 이러는 거니? 옛날 일을 자꾸 들추는 이유가 뭔지 말해달라고 했잖니…….

에드먼드 (머뭇거리다 자책감에 무심코 말을 내뱉는다.) 아무것도 아니에요. 간밤에 어머니가 제 방에 들어오셨을 때 안 자고 있었어요. 어머닌 침실로 돌아가지 않았죠. 대신 손님방으로 가서 아침까지 거기 계셨어요.

메리 아버지 코 고는 소리에 미칠 것 같았기 때문이야! 세상에, 내가 손님방에서 잔 게 어디 한두 번이야? (따끔하게) 네가 무슨 생각 하는지 알아. 내가 그럴 때는…….

에드먼드 (아주 격하게) 전 아무 생각 안 했어요!

메리 그래서 날 감시하려고 자는 척한 거니?

에드먼드 아뇨! 제가 열이 있고 잠을 못 이룬다는 걸 알면 어머니가 불안해하실까 봐 그랬어요.

메리 네 형도 분명 자는 척했을 거야. 네 아버지도…….

에드먼드 그만하세요, 어머니!

메리 에드먼드, 참을 수가 없구나. 너마저……! (불안하게 손을 올려 아무렇게나 산만하게 머리를 매만진다. 그러다 갑자기 묘하게 복수심에 찬 목소리로) 그게 사실이면 모두들 대가를 치를 거야!

에드먼드 어머니! 그렇게 말씀하지 마세요! 그런 식으로 말씀하실 땐…….

메리 의심 좀 그만해! 제발! 그러면 내 마음이 아프잖니! 난 네 걱정 때문에 잠을 이룰 수가 없었어. 그게 진짜 이유야! 네가 아프고부터 너무 걱정이 돼서. (두 팔로 아들을 감싸고, 겁에 질려 아들을 보호하려는 듯 부드럽게 끌어안는다.)

에드먼드 (달래듯이) 쓸데없는 걱정이에요. 감기일 뿐이라는 거 아시잖아요.

메리 그래, 알지. 나도 알아!

에드먼드 그래도 어머니, 잘 들으세요. 제가 더 안 좋은 병에 걸린 것으로 밝혀져도, 결국은 다시 좋아질 거니까, 괜한 걱정 하다 아프지 않게, 계속 건강 관리 잘하시겠다고 약속…….

메리 (겁에 질려) 그런 바보 같은 소리는 안 들을래! 뭔가 끔찍한 일이 있을 것처럼 말할 이유가 없잖아! 물론, 약속은 할게. 내 명예를 걸고! (그러곤 비통하게) 하지만 넌 내가 전에도 이랬다고 생각하겠지?

에드먼드 아니에요!

메리 (비통함이 사라지고 체념과 무력감이 깃든 목소리로) 얘야, 널 탓하려는 게 아니야. 너라고 별수 있겠니? 우리 모두 못 잊어. (기묘하게) 그래서 모두들 이렇게 힘든 거고. 잊을 수가 없으니까.

에드먼드 (그녀의 어깨를 붙잡고) 어머니! 그만하세요!

메리 (억지웃음을 지으며) 알았어. 이렇게 우울하게 굴 생각은 아니었는데. 신경 쓰지 마. 이리 와보렴. 열이 있는지 좀 만져보자. 어머, 열이 없네. 지금은 확실히 없어.

에드먼드 걱정 마세요. 어머니나…….

메리 난 정말 아무렇지도 않아. (교활해 보인다 싶을 만큼 계산적인 묘한 눈빛으로 힐끔 그를 훔쳐보고) 간밤에 너무 잠을 설쳐서, 그냥 피곤하고 신경이 예민할 뿐이야. 위층에 올라가서 점심 먹을 때까지 낮잠이나 자야겠다. (에드먼드는 본능적으로 어머니를 의심의 눈길로 쳐다보다가, 그런 자신이 부끄러워 얼른 눈길을 돌린다. 그녀는 불안하게 서두른다.) 넌 뭐할 거니? 여기서 책 읽을 거야? 밖에 나가서 신선한 공기도 마시고 햇볕도 쬐는 게 더 좋을 텐데. 하지만 조심해라. 열을 너무 많이 받으면 안 돼. 꼭 모자를 써. (그녀가 멈춰 서 그를 똑바로 쳐다보자, 그는 눈길을 피한다. 잠시 긴장이 감돈다. 그러다 그녀가 조롱하듯 묻는다.) 날 혼자 두는 게 불안하니?

에드먼드 (고통스럽게) 아뇨! 그런 소리 좀 그만하실 수 없어요? 낮잠을 주무시는 게 좋을 것 같네요. (방충망으로 가면서, 애써 농담조로) 나가서 형이 잘 버티게 도와줘야겠어요. 그늘에 누워 형이 일하는 걸 지켜보는 것도 재밌거든요. (그가 억지로 웃음을 짓자, 그녀도 따라 웃는다. 그는 베란다로 나가 계단 아래로 사라진다. 그녀는 일단 안도한다. 긴장이 풀리는 것 같다. 탁자 뒤편 고리버들 의자에 앉아, 머리를 의자 등받이에 기대고 눈을 감는다. 그러다 갑자기 극심하게 긴장하기 시작한다. 눈을 뜨고, 발작적인 공포에 사로잡혀 앞으로 몸을 수그린다. 그러곤 자신과 필사적인 싸움을 시작한다. 관절염에 뒤틀리고 마디 진 긴 손가락은 그녀의 의지와 상관없이 독자적인 생명력을 갖춘 듯 집요하게 의자 팔걸이를 두드려댄다.)

막

2막 1장

무대

같은 장소. 열두 시 사십오 분경. 이제는 오른편 창문으로 햇살이 들어오지 않는다. 바깥은 아직 화창하지만, 대기 중의 열은 안개가 따가운 햇살을 누그러뜨리면서 점점 후텁지근해지고 있다.

에드먼드는 탁자 왼편 안락의자에 앉아 책을 읽고 있다. 아니. 애만 쓸 뿐, 집중은 못하고 있다. 위층에서 무슨 소리가 들리나 귀를 세우고 있는 것 같다. 초조하고 걱정스런 기색에 1막에서보다 더 아파 보인다.

하녀 캐슬린이 뒷방에서 들어온다. 묵힌 버번 한 병과 위스키 잔 여러 개, 얼음물 한 주전자를 쟁반에 담아 들고 있다. 갓 스물을 넘긴 이 통통한 아일랜드 시골 처녀는 발그레한 뺨에 얼굴이 예쁘장하고, 검은 머리에 푸른 눈을 갖고 있다. 또 상냥하지만 무식하고 세련되지 못하며, 선량하지만 지독히도 둔하다. 그녀가 쟁반을 탁자에 놓는다. 하지만 에드먼드는 책에 너무 몰입해서 못 알아보는 척한다. 그녀는 이런 태도를 무시해버린다.

캐슬린 (스스럼없이 주절주절) 여기, 위스키 가져왔어요. 곧 점심시간인데요. 주인님이랑 큰 도련님 부를까요? 아님 도련님이 부르실래요?

에드먼드 (책에서 고개도 안 들고) 네가 불러.

캐슬린 주인님은 왜 가끔 시계도 안 보시는지 몰라요. 만날 식사 시간에 늦으시면서. 브리지트가 제 탓이라고 저만 야단치는데. 주인님은 나이 드셨어도 진짜 멋져. 하지만 도련님은 죽었다 깨도 주인님 같은 미남은 될 수 없을걸요. 제이미 도련님도 그렇고. (킬킬거린다.) 장담하는데, 손목시계만 있으면, 제이미 도련님은 일하다가도 위스키 마실 수 있는 시간은 절대 안 놓칠 거예요!

에드먼드 (그녀를 무시하려던 노력을 포기하고 싱긋 웃는다.) 그건 네 말이 맞아.

캐슬린 장담할 거 또 있어요. 큰 도련님하고 주인님 오기 전에 몰래 한잔 하려고, 일부러 저한테 부르라고 시키신 거죠?

에드먼드 글쎄, 그런 생각은 안 했는데…….

캐슬린 아뇨, 분명해요! 시치미 떼지 마세요.

에드먼드 하지만 이젠 네가 권하니…….

캐슬린 (갑자기 새치름하게 음전한 척하며) 작은 도련님, 전 남자든 여자든, 술은 절대 안 권해요. 절대로요. 고향 아저씨 한 분이 술로 돌아가셨거든요. (누그러져서) 그래도 풀이 죽거나 감기에 걸렸을 때는 가끔 한잔 하는 것도 좋죠.

에드먼드 고마워. 좋은 핑계거리 만들어줘서. (애써 무심한 척하며) 어머니도 부르는 게 좋겠어.

캐슬린 왜요? 마님은 안 불러도 항상 제시간에 오시는데. 복 받으실 거예요. 아랫사람들을 생각해주시니.

에드먼드 하지만 지금은 낮잠 주무시고 계셔.

캐슬린 조금 전 제가 이층에서 일을 마쳤을 때는 깨 있으셨는데요. 손님방에서 두 눈 크게 뜨고 누워 계셨어요. 두통이 심하시다면서요.

에드먼드 (무심한 척하는데 더욱 많은 노력을 기울이면서) 어, 그럼, 아버지만 불러.

캐슬린 (방충문을 향해 가며 악의 없이 구시렁거린다.) 밤마다 발이 쑤시는 게 당연해. 이 땡볕에 밖으로 나가서 일사병에 걸리진 않을 거야. 베란다에서 불러야지. (방충문을 쾅 닫고 옆베란다로 나가, 앞베란다 쪽으로 사라진다. 잠시 후 그녀가 부르는 소리가 들린다.) 주인님! 큰 도련님! 시간 다 됐어요! (에드먼드는 책 읽는 것도 잊고 겁먹은 눈으로 정면을 응시하다가, 초조한 듯 벌떡 일어선다.)

에드먼드 허, 참, 대단한 아이야! (술병을 집어 들어 한 잔 따르고는 얼음물을 섞어 마신다. 이때 누군가 앞문으로 들어오는 소리가 들린다. 에드먼드는 얼른 술잔을 쟁반에 내려놓고, 앉아서 책을 펼친다. 제이미가 코트를 팔에 걸친 채 응접실을 통해 들어온다. 칼라와 타이도 풀어서 손에 들고, 손수건으로 이마의 땀을 닦아내고 있다. 에드먼드는 책 읽다 방해를 받았다는 듯 고개를 쳐든다. 제이미는 술병과 술잔을 쓰윽 훑어보며 냉소를 머금는다.)

제이미 어, 몰래 한잔 한 거야? 꼬맹이, 속임수 좀 그만 써. 나보다 연기도 형편없으면서.

에드먼드 (씩 웃으며) 맞아, 기회 좋을 때 한잔 했지.

제이미 (동생의 어깨에 다정히 한 손을 얹으며) 솔직한 게 더 좋아. 날 속일 이유도 없잖아. 우린 친군데, 안 그래?

에드먼드 형인지 몰랐어.

제이미 노친네한테 시계 좀 보라고 했어. 그러곤 반쯤 올라왔는데, 캐슬린이 빽빽거리기 시작하는 거야. 저 시끄러운 아일랜드 종달새! 열차 안내방송 같은 거 하면 잘할 텐데.

에드먼드 나도 재 소리에 술 마시게 됐어. 기회 있을 때 형도 한 잔 걸치지그래?

제이미 안 그래도 그럴 참이었어. (잽싸게 오른편 창문으로 가서) 노친네, 늙은 터너 선장하고 얘기 중이었는데. 좋아, 아직도 얘기 중이군. (돌아와 술을 마신다.) 그럼 이제, 노친네 독수리 같은 눈만 속이면 되는데. 술 마시고 나면, 얼마나 남았는지 꼬박꼬박 기억해두거든. (그는 물 두 잔을 위스키 병에 붓고 술병을 흔들어댄다.) 자, 됐어. (유리잔에 물을 따라 에드먼드 옆 탁자에 놓으며) 이건 네가 마시던 물이야. 알지?

에드먼드 훌륭해! 그런데 노친네가 속아 넘어갈 거라고 생각하는 건 아니지?

제이미 안 넘어갈 수도 있지. 하지만 증명도 못해. (칼라와 타이를 매며) 자기 목소리 음미하느라 점심까지 잊지는 말았으면 좋겠는데. 배고프거든. (탁자를 사이에 두고 에드먼드 맞은편에 앉으며 짜증스럽게) 정원에서 일하기 싫은 것도 그 때문이야. 노친네, 지나가는 촌뜨기들을 죄 붙들고 연기를 하잖아.

에드먼드 (우울하게) 배고픈 것도 복이야. 다시 밥맛이 생긴다면,

난 내 기분 따윈 신경 안 쓸 거야.

제이미 (걱정스러운 눈길을 던지며) 잘 들어, 꼬맹이. 여태 너한테 잔소리한 적 없는데, 술 끊으라는 의사 말은 옳아.

에드먼드 오늘 오후에 나쁜 소식 들으면, 그때부터 끊지 뭐. 그전까진 몇 잔 해도 돼.

제이미 (망설이다가 느리게) 안 좋은 소식에 대비하고 있다니, 다행이네. 충격이 그렇게 크지는 않을 테니까. (자신을 노려보는 에드먼드의 시선을 알아채고) 내 말은, 네가 아픈 건 분명하니까, 자신을 속이는 건 어리석은 짓이라는 뜻이야.

에드먼드 (심란해서) 안 속여. 얼마나 안 좋은지 나도 알아. 밤마다 오한이 나는 게 장난이 아니거든. 지난번 의사 선생 짐작이 맞는 거 같아. 그 빌어먹을 말라리아가 다시 덮친 것 같다고.

제이미 그럴지도 모르지만, 너무 확신하지는 마.

에드먼드 무슨 뜻이야? 그럼, 무슨 병이라고 생각하는 거야?

제이미 제길, 내가 그걸 어떻게 알아? 내가 의사야? (불현듯) 엄마는 어디 계시지?

에드먼드 위층에.

제이미 (날카롭게 쏘아보며) 언제 올라가셨어?

에드먼드 음, 내가 정원으로 내려갔을 즈음 같은데. 낮잠 주무실 거라고 했어.

제이미 나한테 말했어야지…….

에드먼드 (방어적으로) 왜? 뭣 때문에? 엄마가 피곤하다고 했어.

간밤에 잠을 설쳤다고.

제이미 그건 나도 알아. (사이. 둘은 서로의 눈길을 피한다.)

에드먼드 그 망할 배 소리 때문에, 나도 잘 못 잤어. (다시 사이.)

제이미 오전 내내 위층에 계시는 거야? 엄마 못 봤어?

에드먼드 응, 난 여기서 책 읽었어. 주무시게 두고 싶어서.

제이미 점심 드시러 내려올까?

에드먼드 당연하지.

제이미 (무미건조하게) 아닐 수도 있어. 점심 안 드시고 싶어 할지도 몰라. 위층에서 혼자 드실 수도 있고. 전에도 그랬잖아, 안 그래?

에드먼드 (두려움에 화를 내며) 형, 그만! 그렇게밖에 생각 못해? (설득력 있게) 뭐든 의심부터 하는 건 잘못된 태도야. 캐슬린이 조금 전 어머닐 봤대. 안 내려오실 거라는 말씀도 없었대.

제이미 낮잠 주무시는 중이라며?

에드먼드 캐슬린이 갔을 때는 그냥 누워만 있으셨대.

제이미 손님방에서?

에드먼드 응. 근데 그게 뭐 어때서?

제이미 (버럭 소리를 지른다.) 이 멍청아! 그렇게 오랫동안 혼자 두면 어떡해? 곁에 붙어 있었어야지!

에드먼드 형도 아버지도, 못 믿어서 내내 자기를 감시한다고 뭐라 그러시잖아. 죄송하다는 생각이 들었어. 엄마 기분이 어떨지 이해도 되고. 그래도 엄만 명예를 걸고 약속했어…….

제이미 (지겹고 신물이 난다는 듯) 그런 약속, 아무 의미 없다는 거 너도 알잖아.

에드먼드 이번엔 아니었단 말야!

제이미 다른 땐 그렇게 생각 안 했어? (탁자 위로 몸을 기울여, 동생의 팔을 다정하게 붙잡으며) 잘 들어, 꼬맹이. 네가 날 냉소적인 망나니로 여긴다는 거 알아. 하지만 잊지 마. 난 이런 일 너보다 많이 봐왔어. 넌 고등학생이 되기 전까지도 뭐가 문제인지 몰랐지. 아버지하고 내가 너는 모르게 처리했으니까. 하지만 난 너한테 말하기 십 년도 전부터 알고 있었어. 그런데 다시 그런 일이 시작된 거야. 아침 내내, 엄마가 간밤에 보인 행동거지를 돌이켜본 것도 그래서야. 다른 건 생각할 수도 없었어. 그런데 지금, 엄마가 원해서, 오전 내내 엄말 위층에 혼자 뒀다고 말하는 거야?

에드먼드 그런 게 아냐! 형은 제정신이 아냐!

제이미 (달래듯이) 알았어, 꼬맹이. 시작을 말자. 네 말처럼 나도 내가 미쳤으면 좋겠다. 이번에는 진짜로 믿을 수 있겠다 싶어서 행복했는데……. (말을 멈추고 응접실 복도 쪽을 살핀다. 그러곤 황급히 낮게 속삭인다.) 엄마가 내려오셔. 네 말이 맞았어. 내가 의심만 많은 못된 놈인가 봐. (둘은 희망과 두려움이 섞인 기대감으로 점점 긴장한다. 제이미가 중얼거린다.) 에잇! 한 잔 더 할걸.

에드먼드 나도. (초조하게 한 번 기침을 하더니, 발작적으로 계속 기침을 해댄다. 제이미가 걱정과 연민이 섞인 눈빛으로 힐끔 그를 본다. 메리가 응접실에서 들어온다. 얼핏 보면, 덜 예민한 것이 아침 식사 후 처음에 봤던 모습과 더 비슷하다는 점 말고는, 다른 변화가 눈에 띄지 않는다. 하지만 다시 보니, 눈도 더 반짝이고, 한 발 물러난 상태에서 말하고 행동하는 것처럼 목소리와 태도 속에도 이상한 초연함이 스며 있다.)

메리 (걱정스러운 듯 에드먼드에게 다가가 두 팔로 감싼다.) 그렇게 기침하면 안 되는데. 목에 안 좋아. 감기에 목까지 아프면 어떡해. (그녀가 키스를 하자, 에드먼드는 기침을 멈추고 걱정스러운 눈길로 힐끔 그녀를 살핀다. 하지만 그녀의 다정함에 의심은 곧 후회로 바뀌고, 그 순간 자신이 믿고 싶은 대로 믿어버린다. 반면에 제이미는 메리를 꼼꼼히 훑어보고, 자신의 의심이 맞았음을 알아차린다. 그의 눈길은 바닥으로 떨어지고, 얼굴엔 방어적이고 씁쓸한 냉소의 표정이 깃든다. 메리는 에드먼드가 앉아 있는 의자 팔걸이에 엉거주춤 앉아, 계속 아들을 감싸고 있다. 그녀의 얼굴이 에드먼드의 뒤쪽 위에 있어서, 에드먼드는 그녀의 눈을 볼 수 없다.) 만날 이거 해라 저건 하지 마라면서 널 괴롭히는 것 같구나. 용서해라, 얘야. 다 네가 걱정돼서 그러는 것뿐이니까.

에드먼드 알아요, 엄마. 엄만 어떠세요? 좀 쉰 것 같으세요?

메리 응, 훨씬 좋아졌어. 네가 나가고부터 줄곧 누워 있었거든. 간밤에 잠을 너무 설쳐서. 지금은 불안하지도 않아.

에드먼드 다행이네요. (어깨 위에 놓인 어머니 손을 토닥인다. 제이미는 정말로 진심에서 우러난 행동일까 의심하면서, 경멸에 가까운 묘한 눈초리로 동생을 쳐다본다. 에드먼드는 몰라도 메리는 이런 눈길을 알아차린다.)

메리 (억지로 놀리는 듯한 어조로) 저런, 기운이 너무 없어 보이네. 무슨 일 있는 거니?

제이미 (어머니를 쳐다보지도 않고) 아무것도 아니에요.

메리 아, 울타리 손질 했다는 걸 깜빡했네. 그래서 지친 거야? 응?

제이미 어머니 좋을 대로 생각하세요.

메리 (같은 어조로) 울타리를 손질하고 나면 항상 그래, 안 그러니? 몸만 컸지 애나 마찬가지라니깐. 안 그러니, 에드먼드?

에드먼드 다른 사람들 시선에 신경 쓰는 건 확실히 어린애 같은 짓이죠.

메리 (묘하게) 맞아, 신경 안 쓰는 수밖에 없지. (제이미가 자신을 따갑게 쳐다보는 걸 알아차리고, 화제를 바꾼다.) 아버지는 어디 계시니? 캐슬린이 부르는 소리가 들렸는데.

에드먼드 형 말이, 늙은 터너 선장하고 얘기 중이래요. 또 늦으실 거예요. (제이미는 등을 돌릴 구실이 생긴 것에 내심 기뻐하면서, 일어나 오른편 창가로 간다.)

메리 아버지가 어디 계시든 직접 얼굴 보고 알려드리라고 캐슬린한테 누누이 일렀는데. 싸구려 하숙집처럼 소리쳐 부르다니!

제이미 (창밖을 내다보며) 캐슬린이 지금 저기 아래에 있는데요. (빈정거리는 어조로) 저 유명한 목소릴 자르다니! 캐슬린 진짜 무례하네.

메리 (제이미를 향해 분노를 표출하면서 날카롭게) 무례한 건 너야! 아버지 조롱하는 짓 좀 그만해라! 내가 못 봐주겠어! 아버지 아들인 걸 자랑스럽게 여겨야지! 물론 아버지한테도 단점은 있어. 안 그런 인간이 어디 있겠니? 하지만 아버진 평생 열심히 일했다. 혼자 힘으로 무지와 가난에서 벗어나 자기 분야에서 꼭대기까지 올라갔어! 다른 사람들은 전부 아버지를 칭송해. 하물며 너, 너는, 아버지 덕에 평생 고된 일 안 하고 살았으니까, 더더욱 아버지를 조롱하면 안 돼! (찔끔한 제이미는 몸을 돌려, 비난과 적의가 서린 눈길로 메리를 쏘아 본다. 메리의 눈이 자책감에 살짝 흔들린다. 메리가 달래듯 덧붙인다.) 큰애야, 아버지도 늙어가고 계셔. 신경 좀 더 써드려야 해.

제이미 제가요?

에드먼드 (불안해서) 오, 그만해, 형! (제이미는 다시 창밖을 내다본다.) 그리고 제발, 어머니도 그래요. 왜 갑자기 형을 나무라는 거죠?

메리 (신랄하게) 쟤가 항상 다른 사람을 비웃고, 누굴 보든 안 좋은 면만 찾아내려 들잖아. (그러곤 이상하게도 갑자기 감정이 배제된 초연한 어조로 돌변해서) 하지만 사는 게 쟤를 저렇게 만들었는지도 몰라. 쟤도 어쩔 수 없었을 거야. 삶이 우리에게 던지는 것들은 누구도 피해갈 수 없으니까. 미처 깨닫기도 전에 일은 벌어지고, 일단 벌어지고 나면, 다른 일들도 하게 되고, 결국엔 자신이 진정으로 하고 싶은 일에서 끝없이 멀어지게 되지. 그러다 진정한 자기를 영원히 잃어버리는 거야. (에드먼드는 그녀의 묘한 태도에 불안해진다. 메리의 눈을 쳐다보려 하지만, 메리는 계속 에드먼드의 눈길을 피한다. 제이미는 그녀를 뒤돌아보곤 얼른 창밖으로 시선을 돌린다.)

제이미 (멍하게) 배고파. 노친네 얼른 좀 들어오지. 꼭 이런 식으로 기다리게 해놓고선 음식이 맛없다고 불평을 늘어놓는다니까.

메리 (속으로는 무관심하지만 겉으로는 기계적으로 분노를 드러내면서) 맞아. 정말 진 빠지는 일이지. 그래도 얼마나 괴로운지 넌 모를 걸. 임시직이라는 생각에 대충 때우려는 아랫것들을 데리고 살림을 해나갈 일도 없으니까. 그냥 여름 별장 말고 진짜 집이 있는 사람들이나 제대로 된 좋은 하인들을 부릴 수 있어. 너희 아버진 최고급 하인을 쓰는 데도 돈을 안 들이지. 그 탓에 난 해마다 멍청하고 게으른 초짜들만 부리게 되고. 내가 이런 말 하는 거 천 번은 들었지? 아버지도 마찬가지일 텐데. 한 귀로 듣고 한 귀로 흘려버리나 봐. 집에 돈 들이는 걸 낭비로 여기는 양반이니. 호텔 생활을 너무 많이 해서 그래. 물론 최고 말고 이류 호텔이었지만. 그래서 가정이 뭔지 몰라. 집에서는 편안함을 못 느껴. 그러면서도 또 가정은 원해요. 이 초라한 집을 자랑스러워할 정도라니깐. 아버진 이 집을 진짜로 좋아해. (절망하면서도 재미있다는 듯 웃는다.) 생각해보면, 정말 웃겨. 참 독특한 양반이야.

에드먼드 (다시 걱정이 돼서 어머니의 눈을 쳐다보려고 애쓰면서) 어머니, 왜 그렇게 투덜거리는 거예요?

메리 (재빨리 평소 모습으로 돌아와, 그의 뺨을 두드리며) 음, 별일 아냐. 정말 바보처럼 굴었네. (이때 캐슬린이 뒷방에서 들어온다.)

캐슬린 (입심 좋게) 마님, 점심 준비가 다 돼서, 마님 분부대로 티론 주인님한테 가서 말씀 드렸는데, 곧 오신다고 하시고선, 계속 저 남자랑 그때 얘기를…….

메리 (무심하게) 알았어, 캐슬린. 브리지트한테 미안하지만 티론 주인님이 오실 때까지 몇 분만 더 기다리라고 해. (캐슬린이 "알았습니다, 마님" 하고는 혼자 뭐라고 투덜거리면서 뒷방을 통해 사라진다.)

제이미 젠장! 우리끼리 먹으면 안 돼요? 아버지도 그러라고 하셨잖아요.

메리 (차가우면서도 재미있다는 듯한 웃음을 머금고) 속마음은 안 그래. 아직도 아버질 몰라? 그러면 엄청 상처받으실 거야.

에드먼드 (자리를 뜰 핑계가 생겨서 다행이라는 듯 벌떡 일어선다.) 아버지 불러올게요. (옆베란다로 나간다. 잠시 뒤 그가 베란다에서 거칠게 부르는 소리가 들린다.) 아버지! 얼른 오세요! 하루 종일 기다릴 수는 없잖아요! (메리가 의자 팔걸이에서 일어선다. 그녀의 손은 탁자 위에서 초조하게 움직인다. 그녀는 제이미를 보지 않고도, 제이미가 판단하는 듯한 냉소적인 눈길로 그녀의 얼굴이며 손을 살피고 있다는 걸 알아차린다.)

메리 (긴장해서) 왜 그렇게 탐색하는 거니?

제이미 아시잖아요. (그는 다시 창문으로 몸을 돌린다.)

메리 모르겠는데.

제이미 오, 세상에, 어머니, 절 속일 수 있다고 생각하세요? 전 장님이 아녜요.

메리 (이제야 똑바로 그를 쳐다본다. 그녀의 얼굴에 다시 철저하고 완강한 부인의 표정이 깃든다.) 무슨 말인지 모르겠구나.

제이미 몰라요? 거울에 대고 어머니 눈을 좀 보세요!

에드먼드 (베란다에서 들어오며) 아버지를 불렀어. 곧 오실 거야. (그가 둘을 번갈아 보자, 메리가 그의 시선을 피한다. 그러자 불안해져서) 무슨 일이죠? 어머니, 왜 그러세요?

메리 (에드먼드의 등장에 냉정을 잃고, 자책감과 초조, 혼란에 휩싸여) 네 형은 부끄러운 줄 알아야 해. 난 알지도 못하는 일을 갖고 이상하게 자꾸 에둘러 말하잖니.

에드먼드 (제이미에게 돌아서서) 빌어먹을! (위협적으로 제이미를 향해 걸음을 내딛는다. 제이미는 어깨를 으쓱하며 등을 돌리고 창밖을 내다본다.)

메리 (더욱 당황해서 에드먼드의 팔을 붙잡고, 격하게) 당장 그만둬! 내 말 알아들어? 내 앞에서 그런 말을 내뱉다니! (그러곤 갑자기 전처럼 묘하고 초연하게 어조와 태도가 돌변해서) 네 형을 비난하는 건 잘못이야. 형도 지난 일에서 벗어나기 힘들어서 그래. 네 아버지도 그렇고. 너도. 그리고 나도.

에드먼드 (겁에 질려 가망 없는 희망에 필사적으로 매달리며) 형은 거짓말쟁이예요! 거짓말! 그렇죠, 어머니?

메리 (눈길을 피하며) 뭐가 거짓말이란 거니? 이젠 너까지 형처럼 수수께끼 같은 말을 하는구나. (그러다 그의 고통스럽고 비난하는 듯한 표정을 보고 중얼거린다.) 에드먼드! 그만! (에드먼드의 눈길을 피한다. 그녀의 태도는 다시 묘하고 초연하게 돌변한다. 차분하게) 아버지가 계단을 올라오고 계셔. 브리지트한테 알려야겠어. (메리가 뒷방으로 사라지자, 에드먼드는 천천히 의자에 앉는다. 에드먼드는 몸도 안 좋고 기분도 우울해 보인다.)

제이미 (창가에서 돌아보지도 않고) 어때?

에드먼드 (아직 형한테 어떤 것도 인정하고 싶지 않아서, 반항적으로 희미하게) 어떠냐니? 뭐가? 형은 거짓말쟁이야. (제이미는 다시 어깨를 으쓱한다. 앞베란다 방충문이 닫히는 소리가 들린다. 에드먼드가 멍하니 말한다.) 아버지야. 술병 보고 화 안 냈으면 좋겠는데. (티론이 응접실을 통해 들어온다. 그는 윗옷을 걸치고 있다.)

티론 늦어서 미안하구나. 터너 선장하고 이야기를 나눴는데, 그 양반이 말을 시작했다 하면 빠져나올 수가 없어서 말야.

제이미 (돌아보지도 않고 건조하게) '그 양반이 들어주기 시작하면'이겠죠. (티론은 맘엔 안 든다는 듯 그를 노려본다. 그러곤 탁자로 다가가, 재빨리 위스키 병에 남아 있는 술을 가늠해본다. 제이미는 돌아보지 않고도 이런 상황을 감지한다.) 걱정 마세요. 술은 안 줄어들었어요.

티론 난 보지도 않았다. (그러고는 신랄하게 덧붙인다.) 술병만 보고 뭘 알겠니. 그래도 네 술책은 다 알아.

에드먼드 (멍하게) 지금, 다 같이 한잔 하자고 하신 건가요?

티론 (그에게 얼굴을 찌푸려 보이며) 형이야 오전 내내 힘들게 일했으니 마셔도 돼지. 하지만 넌 안 돼. 의사 선생도…….

에드먼드 의사 선생 얘기는 그만두세요! 한잔 한다고 안 죽어요. 기운이 하나도 없어서 그래요, 아버지.

티론 (걱정스러운 표정으로 그를 바라보며, 짐짓 다정하게) 그럼, 한잔 하려무나. 식사 전이고, 반주로 적당히 마시면, 좋은 위스키는 최고의 강장제도 되니까. (티론이 술병을 건네주자, 에드먼드가 일어서서 넉넉히 한 잔 따라 마신다. 티론은 주의를 주듯 얼굴을 찡그린다.) 적당히라고 했다. (그러곤 자신도 한 잔 따르고, 술병을 제이미에게 건네며 투덜거린다.) 너한텐 중용 어쩌고 해봐야 내 입만 아프지. (제이미는 아버지의 암시를 무시하고 한 잔 가득 따른다. 아버지는 못마땅한 얼굴을 하다 포기하고, 다시 쾌활한 태도로 술잔을 쳐든다.) 자, 건강과 행복을 위해! (에드먼드는 더욱 씁쓸하게 웃는다.)

에드먼드 농담도 잘하시네요.

티론 뭔 말이니?

에드먼드 아무것도 아니에요. 건배! (그들은 술을 들이켠다.)

티론 (분위기를 파악하고) 무슨 일 있었니? 분위기가 왜 이렇게 칙칙하고 팽팽해. (화가 나서 제이미를 돌아보며) 원하던 술도 마셨잖아, 안 그래? 그런데 왜 그렇게 잔뜩 찡그리고 있는 거야?

제이미 (어깨를 으쓱한다.) 아버지도 곧 노래 하나 흥얼거리지 못하게 될 거예요.

에드먼드 형, 그만해.

티론 (어색해하며 화제를 바꾼다.) 점심이 다 된 것 같은데. 사냥꾼처럼 배가 고프구나. 엄마는 어디 계시지?

메리 (뒷방을 통해 들어오며 소리친다.) 여기 가요! (그녀가 들어온다. 흥분 상태에서 주변의 시선을 의식하고 있다. 하지만 사방을 힐끔거리면서도 그들의 얼굴은 쳐다보지 않는다.) 브리지트를 다독이느라고요. 당신이 또 늦었다고 짜증을 냈지만, 브리지트한테 뭐라고 나무라지는 않았어요. 음식이 오븐 속에서 말라비틀어져도, 당신 탓이니까, 당신이 좋아하든 안 하든 신경 안 쓴대요. (더욱 흥분해서) 이런 델 집구석인 척하는 것도 정말 메스껍고 신물이 나! 당신도 안 도와주고! 조금도 노력을 안 하잖아요! 당신은 집 안에서 어떻게 행동해야 하는지도 몰라! 사실 가정을 원치도 않죠! 결혼하고 한 번도 가정을 원한 적이 없어! 당신은 혼자서 이류 호텔이나 전전하고, 술집에서 친구들하고나 어울렸어야 할 사람이에요! (그러곤 티론보다 자신에게 하는 말인 양 묘하게 덧붙인다.) 그러면 아무 일 없었을 텐데. (그들이 그녀를 쳐다본다. 티론도 이제는 상황을 간파한다. 갑자기 그는 지치고 괴로움에 빠진 슬픈 노인네처럼 보인다. 에드먼드는 아버지를 힐긋 보고, 아버지가 사태를 파악했음을 깨닫는다. 그래도 어머니에게 주의를 주지 않을 수 없다.)

에드먼드 어머니! 그만하세요. 점심 먹으러 가야죠.

메리 (깜짝 놀라는 순간, 부자연스런 초연함이 다시 그녀의 얼굴에 깃든다. 재미있다는 듯 혼자 빈정거리는 웃음까지 짓는다.) 그래, 네 아버지하고 형은 배가 고플 텐데. 그걸 알면서도 지난 일을 들추는 건 사려 깊은 행동이 아니지. (에드먼드의 어깨에 팔을 두르고, 따뜻하게 걱정해주는 듯하면서도 쌀쌀맞게) 네가 정말 식욕이 있었으면 좋겠구나. 넌 정말 좀 먹어야 해. (그러다 그의 옆 탁자에 놓인 위스키 잔에 시선을 고정하고 날카롭게) 왜 저 잔이 여기 있는 거지? 술 마신 거니? 어쩜 그렇게 바보 같을 수가 있어? 술 마시는 게 안 좋다는 거 몰라? (티론을 향해서) 제임스, 당신 책임이에요. 어떻게 술을 마시게 내버려둘 수 있죠? 애를 잡고 싶어요? 우리 아버지 일 기억 못해요? 병들고 나서도 술을 안 끊었죠. 의사들은 다 멍청이라고 하면서! 당신처럼 우리 아버지도 위스키가 좋은 강장제라고 했어요! (공포에 질린 눈빛으로 더듬거리며) 하지만 당연히, 비교가 안 되지. 모르겠어. 내가 왜……여보, 당신 탓한 거 용서해요. 가볍게 한잔 하는 건 에드먼드한테도 나쁘지 않을 거예요. 식욕이 생긴다면야, 이 애한테도 좋죠. (에드먼드의 뺨을 장난스럽게 두드리다, 다시 그 묘하게 초연한 태도로 돌변한다. 에드먼드가 고개를 홱 돌려버린다. 알아차리지 못한 것 같지만, 메리도 본능적으로 멀찌감치 물러선다.)

제이미 (팽팽해진 신경을 감추려고 일부러 거칠게) 제발, 밥 좀 먹읍시다. 오전 내내 울타리 밑 먼지 구덩이에서 뒹굴었단 말이에요. 전 밥값은 했어요. (아버지 등 뒤에서 돌아 나와, 메리는 쳐다보지도 않고 에드먼드의 어깨를 잡는다.) 꼬맹이 이리 와. 밥통 채우러 가자. (에드먼드가 어머니를 외면하고 일어선다. 둘은 어머니를 지나쳐, 뒷방 쪽으로 간다.)

티론 (멍하게) 그래, 얘들아, 엄마하고 같이 식사하러 가. 나도 곧 따라가마. (하지만 아들들은 어머니를 기다리지 않고 계속 걸음을 옮긴다. 메리는 상처를 입고 힘없이 그들의 뒷모습을 바라보다가, 그들이 뒷방으로 들어가자 뒤따르기 시작한다. 티론이 안쓰러우면서도 책망하는 눈길로 그녀를 바라본다. 이런 시선을 느꼈는지 메리가 쌀쌀맞게 돌아서서 티론과 눈도 안 마주치고 묻는다.)

메리 왜 그렇게 보는 거죠? (두 손을 불안하게 들어 올려 머리카락을 매만지며) 머리카락이 흘러내렸나? 간밤에 너무 지쳐서. 오전엔 누워 있는 게 좋을 것 같더라고요. 졸다가 개운하게 한숨 잤어요. 그래도 일어나서 분명 머리를 매만졌는데. (억지웃음을 지으며) 이번에도 안경은 못 찾았지만요. (날카롭게) 제발 째려보지 좀 말아요! 누가 보면 날 나무라는 줄……. (그러다 애원하듯) 여보! 당신은 이해 못해요!

티론 (힘없이 화를 내며) 당신을 믿은 내가 천하에 바보라는 건 알지! (그는 그녀에게서 떨어져 술을 한가득 따라 마신다.)

메리 (다시 완강하고 도전적인 표정으로) '당신을 믿은'이라니 무슨 말인지 모르겠네요. 내가 느낀 건 불신과 감시, 의심뿐이었는데. (비난조로) 왜 또 마시는 거죠? 점심 전엔 한 잔 이상은 안 하잖아요. (신랄하게) 뻔해요. 오늘 밤에도 마시겠죠? 하기야 처음도 아니죠. 한 천 번쯤? (다시 애원조로 돌변해서) 오, 여보, 제발! 당신은 몰라요! 난 작은애가 너무 걱정돼요! 겁이 나요, 걔가…….

티론 이봐, 변명은 듣고 싶지 않아.

메리 (고통스럽게) 변명이오? 그러니까 당신은……어떻게 그럴 수가 있죠? 여보, 그런 생각하면 안 돼요! (다시 묘하게 초연한 태도로 돌변해서, 정말 아무 일 없었다는 듯) 여보, 점심 먹으러 갈까요? 난 아무 생각 없지만, 당신이 배고프다니까. (메리가 서 있는 문간으로 티론이 천천히 걸어간다. 늙은이처럼. 그가 가까워지자, 메리가 애처롭게 말을 쏟아낸다.) 여보! 나도 죽어라 노력했어요! 죽어라 노력했다고요! 믿어줘요, 제발……!

티론 (자신도 모르게 마음이 움직여서, 힘없이) 여보, 나도 그랬을 거라 생각해. (그러곤 비탄에 젖어) 휴, 왜 힘을 내서 계속 밀고 나가지 못한 거요?

메리 (다시 그 완강하게 부인하는 표정으로) 무슨 말인지 모르겠네요. 힘을 내서 계속 밀고 나가다니, 뭘요?

티론 (절망적으로) 신경 쓰지 마. 이젠 다 소용없어. (그는 계속 걸음을 옮긴다. 그녀도 그의 옆에 붙어서 함께 뒷방으로 사라진다.)

막

2막 2장

무대

약 반 시간 뒤, 같은 장소. 위스키 병이 담긴 쟁반은 이제 탁자에서 치워졌다. 막이 오르면, 식구들이 점심 식사를 마치고 들어온다. 메리가 뒷방에서 가장 먼저 나타난다. 이어 메리의 남편이 들어온다. 1막 첫 부분에서 아침을 먹고 들어올 때와 비슷한 상황인데도, 그는 메리와 함께 하지 않는다. 그녀는 건드리지도 쳐다보지도 않는다. 그의 얼굴에는 원망과 더불어 노인네 같은 피로와 무력감, 체념이 뒤섞여 있다. 제이미와 에드먼드도 아버지를 따라 들어온다. 제이미의 얼굴은 방어적인 냉소로 딱딱하게 굳어 있다. 에드먼드도 형의 이런 표정을 흉내 내려 하지만, 잘되지 않는다. 몸은 물론이고 마음까지 병들어 있다는 것을 분명하게 드러낼 뿐이다.

점심 먹는 내내 식구들과 함께 앉아 있었던 것이 너무 힘들었던 듯, 메리는 다시 극도로 예민해져 있다. 하지만 이런 상태와는 대조적으로, 표정은 전보다 더욱 기묘하고 초연하다. 그녀의 신경은 물론이고 이 신경을 건드리는 걱정거리들과도 전혀 안 어울리는 표정이다.

그녀가 들어오면서 말을 한다. 가족끼리 일상적인 대화를 나눌 때처럼 아무렇지도 않게 말을 쏟아낸다. 자신이나 식구들이나 딴생각에 젖어 있다는 사실에는 관심도 없는 것 같다. 그녀는 말을 하면서 탁자 왼편으로 가, 정면을 향하고 선다. 한 손으로는 앞섶 부분을 더듬고, 다른 손은 탁자 위를 배회한다. 티론은 시가에 불을 붙이고 방충문으로 가서 밖을 내다본다. 제이미는 뒤편 책장 위에 놓인 항아리에서 담뱃잎을 꺼내 파이프를 채운다. 그러곤 담배에 불을 붙이며 오른편 창가로 가서 밖을 내다본다. 에드먼드는 어머니가 안 보이게 반쯤 몸을 돌리고, 탁자 옆 의자에 앉는다.

메리 브리지트는 혼을 내도 소용없어. 도통 듣지를 않으니. 그만두겠다고 뻣댈 게 뻔한 마당에, 해고하겠다고 겁을 줄 수도 없고. 그래도 가끔은 최선을 다해요. 유감스럽게도 당신이 늦을 때만 그렇지만요. 그래도 다행이지 뭐예요. 최선을 다 하든 안 하든, 음식 맛은 그런대로 한결같으니. (초연한 태도로 재미있다는 듯 살짝 웃고 나서, 냉담하게) 신경 쓰지 말아요. 다행히 여름도 곧 끝날 테니까. 다시 시즌이 시작되면, 이류 호텔에 기차를 전전하는 삶으로 돌아갈 수 있잖아요. 나야 그런 생활이 질색이지만, 적어도 집하고는 다를 거고, 살림 걱정도 할 필요가 없으니 다행이죠 뭐. 브리지트나 캐슬린한테 여기를 가정처럼 여기고 행동해주길 바라는 건 무리예요. 우리처럼 여기가 가정이 아니라는 걸 잘 알 테니까. 여긴 가정인 적이 없었어요. 앞으로도 절대 없을 거고.

티론 (돌아보지도 않고 신랄하게) 맞아, 지금은 절대 그럴 수 없지. 하지만 한때는 그랬어. 전에 당신이…….

메리 (그녀의 얼굴에 갑자기 맹목적으로 부인하는 표정이 깃든다.) 내가 전에 뭐요? (죽음 같은 침묵이 흐른다. 그녀가 다시 초연한 태도로 말을 잇는다.) 아뇨, 아녜요. 무슨 말을 하려는 건지 모르지만, 그건 사실이 아니에요. 여긴 가정이었던 적이 없어요. 당신은 늘 클럽이나 술집을 더 좋아했죠. 나한테도 여긴 하룻밤 묵는 더러운 호텔방처럼 언제나 쓸쓸했어요. 진짜 가정이라면 결코 외로울 리가 없는데. 당신은 잊어버렸겠지만, 난 진짜 가정이 어떤 건지 경험으로 알아요. 하지만 당신과 결혼하려고 가정을, 내 아버지 집을 포기했지요. (순간, 생각나는 것이 있어서 에드먼드를 돌아본다. 부드럽게 걱정하는 것 같지만, 그녀의 태도 속에는 기묘한 초연함이 스며 있다.) 에드먼드, 걱정이구나. 점심에도 음식에는 손도 안 댔잖아. 그래서는 몸을 돌볼 수가 없어. 난 식욕이 없어도 괜찮아. 너무 뚱뚱해졌으니까. 하지만 넌 먹어야 해. (어머니답게 구슬린다.) 얘야, 날 위해서라도 먹겠다고 약속해.

에드먼드 (멍하게) 그럴게요, 어머니.

메리 (그의 뺨을 톡톡 치자, 그는 피하지 않으려고 애쓴다.) 착하기도 하지. (다시 죽음 같은 침묵이 흐른다. 그러다 현관 전화벨이 울리자, 모두들 깜짝 놀라 굳어버린다.)

티론 (황급하게) 내가 받을게. 맥과이어가 전화한다고 했거든. (응접실을 통해 나간다.)

메리 (냉담하게) 맥과이어라. 너희 아버지만 살 수 있는 땅이 또 생겼나 보구나. 뭐, 이젠 중요한 문제도 아니지만, 아버진 계속 땅 사들일 돈은 있으면서 나한테 가정을 만들어줄 돈은 없는 것 같아. (현관에서 티론의 목소리가 들려오자, 말을 멈추고 귀를 기울인다.)

티론 여보세요. (애써 쾌활하게) 오, 의사 선생님, 잘 지내셨어요? (제이미가 창가에서 돌아선다. 메리의 손이 탁자 위에서 더욱 빠르게 움직인다. 숨기려 애쓰지만, 티론의 목소리에서 안 좋은 소식이라는 것을 읽을 수 있다.) 알겠습니다……. (황급하게) 저, 오늘 오후에 그 앨 만나면 모든 걸 설명해주세요. 네, 꼭 갈 겁니다. 네 시 정각이오. 저도 그전에 들러서 선생님과 대화를 나누지요. 그렇지 않아도 일 때문에 시내에 나가야 하거든요. 안녕히 계세요, 선생님.

에드먼드 (멍하게) 좋은 소식은 아닌 것 같군. (제이미가 가엾다는 눈으로 에드먼드를 흘깃 쳐다보고, 다시 창밖으로 시선을 돌린다. 메리의 얼굴은 겁에 질리고, 손은 산만하게 떨린다. 티론이 들어온다. 에드먼드에게 별일 아니라는 듯 말하지만, 긴장한 기색이 역력하다.)

티론 의사 선생이야. 네 시에 꼭 만나러 오라는구나.

에드먼드 (멍하게) 뭐래요? 이젠 관심도 없지만요.

메리 (흥분해서 소리친다.) 성경책들을 쌓아놓고 맹세한다 해도, 그 의사 말은 믿을 수 없어. 작은애야, 의사 말에 신경 쓸 필요 없어.

티론 (날카롭게) 여보!

메리 (더욱 흥분해서) 당신이 왜 그를 좋아하는지 다 알아요. 싸구려 의사이기 때문이죠! 그러니 나한테 가르치려 들지 말아요! 하디 선생에 대해서는 나도 잘 안다고요. 몇 년을 겪고도 모르면 바보지. 그는 무식한 멍청이에 불과해요! 그런 작자는 의사 노릇을 못하게 법으로 금해야 돼. 아무것도 모르고. 환자가 고통으로 반쯤 넋이 나가 있는데, 멀뚱히 앉아서 환자 손을 붙잡고 의지력이

나 설교하다니! (그 기억으로 그녀의 얼굴에 극심한 고통의 표정이 되살아난다. 순간 자제력을 완전히 상실하고, 극도로 증오심에 차서) 그 작자는 일부러 창피까지 줘요! 구걸하고 애원하게 만들죠! 환자를 죄인 취급 한다고요! 그 작자는 아무것도 몰라! 당신한테 처음으로 약을 줬던 그 싸구려 사기꾼하고 다를 게 없어. 당신이 그 약의 정체를 깨달았을 땐, 이미 너무 늦어버렸죠. (열띤 목소리로) 난 의사들이 싫어! 어떻게 해서든 환자들을 계속 불러들이려고만 하죠. 영혼이라도 팔 거야! 하지만 더 안 좋은 건, 의사들이 환자의 영혼을 팔아도, 환자는 지옥에 떨어지고 나서야 그 사실을 깨닫는 거죠!

에드먼드 어머니! 제발, 그만하세요.

티론 (혼란스러워서) 그래, 여보. 지금은 그럴 때가…….

메리 (갑자기 자책감과 혼란에 짓눌려 중얼거린다.) 난…… 미안해요. 여보, 당신 말이 맞아요. 이제 와서 화 내봤자 소용없죠. (다시 죽음 같은 침묵이 흐른다. 그러다 메리가 맑고 평온한 얼굴로 입을 연다. 그녀의 목소리와 태도에서 그 섬뜩한 초연함이 묻어난다.) 괜찮으면, 난 잠깐 이층에 올라갔다 와야겠어. 머리를 다듬어야 하거든. (웃으며 덧붙인다.) 안경을 찾아야겠지만. 금방 내려올게.

티론 (그녀가 문간을 지나려는 찰나, 애원과 비난이 섞인 어조로) 여보!

메리 (돌아서 그를 가만히 쳐다보며) 네, 왜요, 여보?

티론 (힘없이) 아무것도 아니야.

메리 (야릇한 조소를 머금고) 그렇게 의심스러우면, 올라와서 감시

하든가요.

티론 그런다고 뭐가 달라지겠어! 나중에 할 텐데! 그리고 난 당신 교도관이 아니야. 여긴 감옥도 아니고.

메리 아무렴요. 당신은 여길 집으로 여기겠죠. (초연하게 후회하는 어조로 재빨리 덧붙인다.) 미안해요, 여보. 그렇게 원망할 생각은 없었는데. 당신 잘못이 아니에요. (그녀는 돌아서 뒷방을 통해 사라진다. 남은 세 사람은 침묵 속에 빠진다. 메리가 위층에 도착할 때까지 기다리는 것 같다.)

제이미 (냉소적으로 잔인하게) 팔에 한 방 또 하겠군!

에드먼드 (화가 나서) 그런 소리 작작해!

티론 그래! 그 더러운 입 다물어! 타락한 브로드웨이 건달들이나 하는 잡소리는 집어치우란 말야! 넌 연민도 예의도 없어? (버럭 화를 내며) 너 같은 건 시궁창에 처박아버려야 해! 내가 정말로 그렇게 하면, 널 다시 데려올 때까지 울고불고 애원하며 빌고 싸울 사람이 누군 줄 몰라?

제이미 (불현듯 얼굴에 고통이 스친다.) 누가 그걸 몰라요? 연민이 없다고요? 저도 엄마가 불쌍해서 가슴이 찢어져요. 엄마가 얼마나 힘든 싸움을 하고 있는지도 잘 알고요. 아버지보다 더 잘 알아요! 제가 그런 말 했다고 아무 감정도 없는 줄 아세요? 전 모두가 아는 사실을, 다시 떠안고 살아야 할 사실을 솔직하게 말했을 뿐이라고요. (비통하게) 치료 효과도 잠깐뿐이었어. 사실 치료 방법도 없는데, 바보처럼 희망을……. (냉소적으로) 이젠 틀렸어!

에드먼드 (형의 냉소를 조롱하듯 흉내 내서) 이젠 글렀어! 모든 게 뻔해! 다 정해져 있어! 우린 전부 잘 속아넘어가는 멍청이들에 희생양이야. 게임에 이길 수가 없지! (경멸스럽다는 듯) 그래도 난 형하고는 달라……!

제이미 (잠시 찔끔하다 어깨를 으쓱하고 냉담하게) 너도 마찬가지 아니었어? 네가 쓴 시도 별로 안 밝아. 네가 읽고 감탄하는 글들도 그렇고. (그러면서 뒤편 작은 책장을 가리킨다.) 발음도 어려운 저 작자, 네가 껌뻑하는 저 작자의 글도 그렇잖아.

에드먼드 니체? 모르는 소리 마. 형은 니체를 읽지도 않았잖아.

제이미 그래도 허튼소리깨나 지껄였다는 건 알아!

티론 둘 다 입 닥치지 못해! 네가 브로드웨이 건달들한테서 배운 철학이나 에드먼드가 책에서 배운 거나 거기서 거기야. 전부 뼛속까지 썩었어. 가톨릭 신앙 속에서 나고 자랐으면서 믿음을 저버리다니. 그런 부정이 자기 파멸만 불러온 거야! (둘은 그를 경멸스럽게 바라본다. 그러곤 서로 싸웠다는 것도 잊어버리고 이 문제에서는 하나가 되어 그에게 맞선다.)

에드먼드 아버지, 그건 말도 안 되는 소리예요!

제이미 그래도 저흰 믿는 척은 안 해요. (신랄하게) 아버지도 바지 무릎에 구멍이 나도록 열심히 미사에 참석하지는 않잖아요.

티론 그래, 내가 계율을 잘 안 지키는 건 사실이야. 하지만 난 믿음이 있어! (화를 내며) 그리고 네 말은 틀렸어! 성당에는 안 가도, 평생 아침저녁으로 무릎 꿇고 기도했어!

에드먼드 (날카롭게) 어머니를 위해서도 기도했어요?

티론 물론이지. 요 몇 년은 네 엄마를 위해서 기도했어.

에드먼드 그렇담 니체의 말이 맞네요. (니체의 《차라투스트라는 이렇게 말했다》의 한 구절을 인용한다.) "신은 죽었다. 인간에 대한 연민으로 신은 죽었다."

티론 (못 들은 척하고) 너희 엄마도 기도를 했으면 좋았을 텐데. 너희 엄마도 믿음을 부정하지는 않지만, 믿음을 잃어버린 것 같아. 그래서 저주와 맞서 싸울 영혼의 힘이 바닥나버린 거지. (그러곤 힘없이 체념하며) 얘기해 뭐 하겠니? 전에도 이렇게 살았고, 이제 또다시 그래야 하는 걸. 피할 수 없는 일이야. (비통하게) 희망이나 품게 하지 말든지. 다신 희망 같은 거 안 가질 거야!

에드먼드 아버지, 그건 말도 안 돼요! (반항적으로) 그래도 전 희망을 가질 거예요! 엄만 이제 시작했어요. 아직 푹 젖어버리진 않았다고요. 아직 멈출 수 있어요. 엄마하고 얘기를 나눠볼 거예요.

제이미 (어깨를 으쓱하며) 지금은 불가능해. 듣기야 하겠지만 귀담아듣지는 않으실 거야. 여기 있어도 여기에 계신 게 아니거든. 엄마가 어떤 상태인지 너도 알잖아.

티론 맞아, 그 독은 엄마를 항상 그렇게 만들지. 이제부터는 전처럼 매일 우리한테서 멀어질 거야. 그러다 결국은 밤마다…….

에드먼드 (비참하게) 아버지, 그만요! (의자에서 벌떡 일어난다.) 옷을 갈아입어야겠어. (가면서 씁쓸하게) 엄마가 감시하러 온 걸로 의심하지 않게 요란을 떨어야지. (응접실에서 사라진다. 그가 쿵쾅

거리며 이층으로 올라가는 소리가 들린다.)

제이미 (사이) 의사가 뭐랬어요?

티론 (멍하게) 네 짐작대로야. 폐결핵이래.

제이미 이럴 수가!

티론 의심할 여지도 없다더구나.

제이미 요양소로 보내야겠군요.

티론 그래, 의사 선생 말로는, 걔나 주변 사람들한테나 빠를수록 좋대. 치료를 잘 받을 경우, 육 개월에서 일 년이면 회복될 거고. (한숨을 내쉬고, 우울하고 화가 난다는 듯) 내 아들이 어쩌다……친가 쪽 유전은 아니야. 우리 쪽 식구들은 전부 황소처럼 폐가 튼튼해.

제이미 어느 쪽 유전인지가 뭐 그리 중요해요! 의사 선생은 어디로 보내는 게 좋겠대요?

티론 그 문제로 만나기로 했어.

제이미 그럼, 제발 초라한 싸구려 요양소 말고 좋은 곳으로 골라요!

티론 (찔끔해서) 어디든 의사 선생이 최선이라는 곳으로 보낼 거야!

제이미 그럼, 의사 선생한테 세금이니 저당이니 하면서 궁상맞게 저 언덕 너머 구빈원 어쩌고 좀 하지 마세요.

티론 난 돈을 펑펑 쓸 수 있는 백만장자가 아냐! 의사 선생한테 사실을 말하는 게 뭐가 잘못이야?

제이미 의사 선생이 싸구려를 원한다는 말로 받아들일 테니까 그렇죠. 거기다 아버지가 그 아첨꾼에 사기꾼 같은 맥과이어한테서 또 쓸모없는 땅을 사들였다는 걸 알면, 아버지 말이 사실이 아니었다는 걸 알게 되지 않겠어요?

티론 (분노해서) 내 일이야, 신경 쓰지 마!

제이미 에드먼드랑 관련된 문제이기도 해요. 전 아버지가 무지렁이 아일랜드인처럼 폐결핵은 못 고친다는 생각에, 무리해서 치료비를 댈 필요가 없다고 생각할까 봐 걱정돼요.

티론 말도 안 되는 소리!

제이미 좋아요. 그럼 제 말이 틀렸다는 걸 입증해 보이세요. 제가 바라는 것도 그거니까. 그래서 이 얘기도 꺼낸 거고요.

티론 (여전히 분개해서) 난 에드먼드가 나을 거라고 확신해. 그러니까 그 더러운 입으로 아일랜드인 어쩌고 하지 마! 얼굴에 아일랜드인이라고 적혀 있는 녀석이, 조롱하는 덴 선수야!

제이미 씻으면 달라요. (그러곤 아일랜드인에 대한 모욕에 아버지가 뭐라고 하기 전에, 어깨를 으쓱하고 냉담하게 말한다.) 하고 싶은 말은 다 했어요. 이젠 아버지한테 달렸어요. (느닷없이) 저, 오후에 뭐 할까요? 아버진 시내에 가실 거고. 울타리 손질도 제가 할 부분은 다 했어요. 아버지가 조금 더 자르시면 돼요. 아버지 몫까지 해주길 바라진 않으시겠죠?

티론 그래. 삐뚤빼뚤 엉망으로 만들어버릴 거잖아. 다른 일처럼.

제이미 그럼, 저도 에드먼드랑 시내에 다녀와야겠네요. 엄마도 저런데, 안 좋은 소식까지 들으면 충격이 클 테니까요.

티론 (다투던 것도 잊어버리고) 그래, 같이 가주렴. 기운 좀 살려줘. (그러곤 따끔하게 덧붙인다.) 핑계 삼아 퍼마시지는 말고!

제이미 돈은요? 최근에 들은 건데, 아직도 술을 판대요. 거저 주는 건 아니고요. (응접실 문간으로 걸음을 옮기기 시작하며) 옷 갈아입어야겠어요. (어머니가 다가오는 것을 보고 문간에 서서 기다리다가, 어머니가 들어오게 비켜선다. 그녀의 눈은 더 반짝이고, 태도도 더욱 초연해 보인다. 극이 진행될수록 이런 변화는 더욱 분명해진다.)

메리 (멍하게) 큰애야, 내 안경 어디서 못 봤니? (하지만 메리는 제이미를 쳐다보지는 않는다. 그는 못 들은 척하며 시선을 피한다. 그녀도 대답을 바라는 건 아닌 것 같다. 그녀는 앞으로 나오면서, 티론에게 쳐다보지도 않고 묻는다.) 여보, 당신도 못 봤어요? (그녀 뒤편에 있던 제이미는 응접실로 사라진다.)

티론 (몸을 돌려 방충문으로 밖을 내다보며) 못 봤어.

메리 큰애한테 무슨 일 있어요? 당신 또 재를 들볶은 거예요? 그렇게 만날 무시하면 안 돼요. 잰 잘못 없어요. 제대로 된 가정에서 자랐으면, 확실히 달랐을 거예요. (오른편 창문으로 가서 가볍게) 당신, 날씨 맞추는 데는 소질 없네요. 봐요. 안개가 자욱하잖아요. 저쪽 해안도 잘 안 보이네.

티론 (자연스럽게 말하려고 애쓰며) 맞아, 너무 성급했어. 밤에도 안개가 낀다는데. 걱정이야.

메리 오, 그래요? 그래도 오늘 밤에는 신경 안 쓸 거야.

티론 아무렴. 그럴 거야.

메리 (그를 힐끔 보고 사이를 둔 후에) 큰애가 울타리로 내려가는 게 안 보이는데요. 어디 간 거예요?

티론 작은애하고 의사 선생 만나러 간대. 그래서 위층에 옷 갈아입으러 갔어. (그러곤 그녀에게서 벗어날 핑계에 기뻐하며) 나도 옷 갈아입어야 할 것 같아. 안 그럼, 클럽에서 한 약속에 늦을 거야. (그가 응접실 문간을 향해 움직이는데, 메리가 돌발적으로 잽싸게 손을 뻗어 그의 팔을 친다.)

메리 (애원하는 듯한 목소리로) 여보, 가지 마세요. 혼자 있기 싫어. (황급하게) 당신 아직 시간도 많잖아요. 애들보다 옷을 열 배는 더 빨리 입는다고 자랑해놓고선. (멍하게) 할 말이 있어서 그래요. 그런데 뭐였더라? 잊어버렸네. 어쨌든 큰애도 시내에 간다니 반가운 일이에요. 걔한테 돈은 안 줬으면 좋겠는데.

티론 안 줬어요.

메리 돈 생기면 술만 마시고, 당신도 알다시피, 취하면 상스럽고 고약한 말들을 해대잖아요. 나야 오늘 밤에는 걔가 무슨 말을 하든 신경 안 쓰겠지만, 당신은 언제나 노발대발하죠. 취하면 더 그래요. 그런데 오늘은 당신도 술 마실 거잖아요.

티론 (화가 나서) 아니야. 절대 안 취할 거야.

메리 (냉담하게 놀리며) 오, 감쪽같이 안 취한 척하겠지요. 언제나 그랬어요. 하지만 다른 사람들은 몰라도, 삼십오 년 같이 산 난…….

티론 난 평생 공연 한 번 펑크 낸 적 없어. 그게 증거야! (신랄하게) 그리고 내가 취해도 당신은 날 비난할 자격 없어. 취할 수밖에 없는 이유가 있으니까.

메리 이유? 무슨 이유요? 당신은 클럽에만 가면 과음을 해요. 안 그래요? 맥과이어를 만나면 특히 그렇죠. 그 사람이 그렇게 만드니까. 하지만 당신을 비난하는 건 아녜요. 당신 좋을 대로 해요. 신경 안 쓸 테니까.

티론 나도 알아. 당신이 신경 안 쓴다는 거. (얼른 피하고 싶어서, 응접실을 향해 돌아선다.) 옷을 갈아입어야 해.

메리 (다시 손을 뻗어 그의 팔을 붙잡고, 애원조로) 안 돼요, 여보. 조금만 더 있다 가요. 누구 하나 내려올 때까지만요. 다들 나한테서 빨리 떠나려고만 해.

티론 (쓰라린 슬픔을 느끼며) 당신이 우리를 떠나는 거지.

메리 내가요? 말도 안 돼요, 여보. 내가 어떻게 떠나요? 갈 데도 없는데, 누굴 보러? 난 친구도 없어요.

티론 당신 잘못……. (말을 끊고 힘없이 한숨을 내쉬다 설득조로) 오늘 오후에 당신이 할 수 있는 일이 한 가지 있어. 당신한테 좋을 거야. 자동차 타고 드라이브를 하는 거야. 집에서 멀리 벗어나 봐. 햇볕도 쬐고 신선한 공기도 마시라고. (마음이 상한 듯) 차는 당신 때문에 산 거야. 알겠지만 그 빌어먹을 차 난 안 좋아해. 날씨가 어떻든 걷거나 전차를 타는 게 편하지. (더욱 화가 치밀어서) 당신 기쁘게 해주려고, 요양원에서 나올 때 일부러 사둔 건데. 기분 전환 좀 하라고 말이야. 그런데 전에는 매일같이 잘만 타더니, 요즘은 통 안 타잖아. 분에 넘치게 돈도 많이 들였는데. 거기다 당신이 차를 타든 안 타든, 기사한테는 꼬박꼬박 먹여주고 재워주면서 비싼 월급까지 줘야 해. (가차 없이) 헛돈 쓴 거지! 이런 식으로 헛돈 날리다간 늙어서 양로원에 처박히고 말 거야! 저런 차가 다 무슨 소용이야? 차라리 돈을 창문으로 던져버리는 게 낫지.

메리 (초연하고 차분하게) 맞아요, 헛돈 날린 거예요. 중고차는 사는 게 아닌데. 당신이 또 속은 거죠. 뭐든 중고만 고집하더니만.

티론 그래도 최고급 차야! 다들 새 차보다 좋다고 그래!

메리 (이 말을 무시하고) 스마이디를 고용한 것도 그래요. 정비소 조수 일이나 했지, 운전기사 경력은 하나도 없는 사람이잖아요. 거기다 월급은 진짜 기사보다 적어도, 자동차 정비를 맡길 때마다 뒷돈을 받아서 월급을 보충하고도 남게 챙긴다고요. 확실해요. 차에 툭하면 문제가 생기는 것도 다 스마이디 때문일 거야.

티론 믿을 수 없어! 스마이디는 제복을 근사하게 차려입은 부잣집 운전수는 아니어도, 정직한 사람이야! 당신이나 제이미나 똑같이 못됐군. 아무나 의심하고!

메리 기분 나빠하지 말아요, 여보. 자동차 받았을 때 나도 기분 나쁘지 않았어요. 나한테 창피를 주려고 산 게 아니고, 당신은 뭐든 그런 식이란 걸 알았으니까요. 그래서 고맙고 감동했어요. 차를 산다는 게 당신한테는 힘든 결정이었을 텐데, 날 정말로 사랑하는가 보다 생각했죠. 차가 나한테 아무 소용 없으리란 걸 당신도 잘 알고 있었을 텐데 말이죠.

티론 여보! (갑자기 아내를 껴안고 비탄에 잠겨) 여보! 제발, 날 위해서, 아이들을 위해서 그리고 당신 자신을 위해서, 이제라도 제발 그만둘 수 없어?

메리 (잠시 죄책감에 혼란스러워하며 더듬거린다.) 난……. 여보! 제발! (즉각 다시 그 묘하고 고집스런 방어 자세로 되돌아가서) 무얼 그만둬요? 대체 무슨 말 하는 거예요? (티론은 절망적으로 팔을 늘어뜨린다. 그러자 메리가 충동적으로 그를 감싸 안는다.) 여보! 우린 서로 사랑했어요! 앞으로도 언제나 그럴 거고요! 그것만 기억해요. 이해할 수 없는 것들을 이해하려고도 하지 말고, 피할 수 없는 것들을 피하려고 애쓰지도 말아요. 삶이 우리에게 한 일들은 변명도 설명도 할 수 없어요.

티론 (못 들은 듯, 신랄하게) 노력도 안 할 작정이야?

메리 (절망적으로 팔을 내려뜨리고, 몸을 돌리며 초연하게) 오후에 드라이브를 해보란 말이죠? 집에 있을 때보다 더 쓸쓸하겠지만, 그러죠 뭐. 당신이 원한다면야. 하지만 난 같이 드라이브를 할 사람도, 갈 곳도 없어요. 잠깐 들러서 웃고 수다 떨 친구라도 있으면 좋으련만. 그런 친구도 없고. 하기야 친구를 사귄 적도 없으니. (갈수록 초연한 태도로) 수녀원 학교에 있을 땐 친구들이 많았는데. 집이 근사한 친구들. 난 그 친구들 집에, 걔네들은 우리 집에 놀러오곤 했는데. 그런데 배우랑 결혼을 하니까……. 당시에 배우를 어떻게 생각했는지는 당신도 알죠?…… 친구들이 죄다 등을 돌리더라고요. 거기다 결혼하자마자, 당신 정부였던 여자가 당신을 고소했잖아요. 그때부터 오랜 친구들이 죄다 날 불쌍하게 여기거나 생판 모르는 척하더군요. 난 모르는 척하는 친구들보다

동정하는 애들이 더 얄미웠어요.

티론 (죄책감과 분노가 뒤섞인 어조로) 제발, 오래전 일들은 들춰내지 마. 이제 겨우 점심땐데, 벌써 그렇게 먼 과거에 가 있으면, 밤에는 어떡할라 그래?

메리 (이제는 도전적으로 그를 노려본다.) 생각해보니, 시내에 갔다 오긴 해야겠네요. 약국에서 살 게 있거든요.

티론 (경멸에 찬 어조로) 숨겨둔 게 남았는데 더 사러 간다 이거지! 요전 날 밤처럼 반쯤 미쳐서는 약 달라고 소리소리 질러대면서 잠옷바람으로 뛰쳐나가 바다에 몸을 던지려고 할 바엔, 아예 넉넉히 사다 둬!

메리 (이 말을 무시하려고 애쓰며) 치약이랑 비누랑 콜드크림이랑……. (비참하게 울며 주저앉는다.) 여보! 그 얘긴 하지 말아요! 그렇게 모욕 주지 말라고요!

티론 (부끄러워서) 미안해, 여보. 잘못했어!

메리 (다시 방어적이고 초연한 태도로) 상관없어요. 있지도 않은 일인데요, 뭐. 당신이 꿈을 꾼 게 분명해. (티론이 절망적으로 그녀를 쳐다본다. 그녀의 목소리는 현실에서 점점 더 멀어지는 것 같다.) 작은애가 태어나기 전에는 아주 건강했는데. 여보, 당신도 기억할 거예요. 신경과민 같은 건 없었어요. 시즌이 시작되면 매주 다른 곳에서 공연하는 당신을 따라다니면서, 침대칸도 없는 기차에, 지저분한 싸구려 호텔방에서 자고, 형편없는 음식을 먹고, 호텔방에서 아이들을 낳았어도, 끄떡없었어요. 그런데 작은애를 낳고부터는 못 견디게 됐죠. 그 후부터 심하게 아팠고, 싸구려 호텔의 그 무식한 돌팔이 의사가…… 그 작자는 나한테 통증이 있다는 것밖에 몰랐어요. 그러곤 아주 간단하게 통증을 없애줬죠.

티론 여보, 제발! 그 일은 그만 잊어!

메리 (감정이 배제된 묘하고 차분한 태도로) 왜요? 내가 어떻게 그래요? 과거가 바로 현잰데. 안 그래요? 미래이기도 하고. 우리 모두 과거에서 벗어나려고 발버둥치지만, 삶은 그걸 허용 안 해요. (계속한다.) 다 내 잘못이죠. 유진이 죽은 후로 다시는 아기를 안 가지리라 맹세했는데. 그 애가 죽은 것도 내 탓이었으니까요. 너무 보고 싶고 외롭다는 당신 편지에, 아이를 친정엄마한테 맡기고 간 내가 잘못이죠. 안 그랬으면, 홍역에 걸린 제이미가 아기 방에 들어가는 일도 없었을 텐데. (그녀의 얼굴이 굳어진다.) 제이미는 일부러 아기 방에 들어간 거예요. 아기를 질투했거든요. 아기를 미워했어요. (티론이 반박하려고 하자) 그래요. 제이미가 겨우 일곱 살이었다는 거 나도 알아요. 하지만 갠 똑똑했어요. 홍역이 옮으면 아기가 죽을 수도 있다는 걸 알고 있었죠. 내가 여러 번 주의를 주었으니까. 난 제이미를 용서할 수 없어요.

티론 (비통하게) 지금은 유진하고 함께 있는 건가? 편안히 쉬게 죽은 애는 내버려둘 수 없어?

메리 (그의 말을 못 들은 것처럼) 내 잘못이에요. 유진 곁에 붙어 있겠다고 우겼어야 했는데. 사랑을 핑계로, 당신 설득에 넘어가 달려가지 말았어야 했는데. 유진을 대신할 아이를 갖자는 당신 말에 넘어가지 말았어야 했는데. 당신은 다시 아이를 가지면, 유진의 죽음을 잊을 수 있을 거라고 했죠. 하지만 당시 난 아이를 제대로 키우려면 집이 있어야 한다는 걸, 좋은 엄마가 되려면 여자에게 집이 있어야 한다는 걸 경험으로 절감하고 있었어요. 그래서 에드먼드를 가진 내내 두려움에 시달렸죠. 무언가 끔찍한 일이 일어나리라는 걸 예감하고 있었으니까요. 유진을 두고 떠난 일로, 내가 아이를 가질 자격이 없다는 점이 분명하게 입증된 마당에, 다시 아이를 가지면 신이 날 응징하리라는 걸 알고 있었거든요. 그러니까 에드먼드를 낳지 말았어야 했어요.

티론 (응접실을 불안하게 힐끔거리며) 여보! 말조심해. 걔가 들으면 어떡해. 당신이 자기를 원치 않은 줄 알 거 아냐. 안 그래도 상태가 안 좋은데…….

메리 (격하게) 무슨 소리예요! 난 걔를 원했어요! 세상 무엇보다도! 당신은 몰라요! 그냥 작은애가 안 돼서 한 소리예요. 걔는 행복한 적이 없어요. 앞으로도 그럴 거고요. 건강하지 않으니까. 걘 태어나면서부터 신경이 너무 예민했어요. 그것도 다 내 탓이죠. 그래선지 저렇게 아프면서부터는 자꾸 유진하고 친정아버지가 생각나는 게, 너무 겁나고 미안해서……. (말을 멈추고, 즉시 완강하게 부인하는 태도로) 오, 이유 없이 끔찍한 일을 상상하는 게 멍청한 짓이란 거 나도 알아요. 누구나 감기에 걸렸다 낫고 하는데. (티론은 그녀를 쳐다보며 절망적으로 한숨을 내쉰다. 그러다 응접실 쪽으로 몸을 돌리는데, 에드먼드가 계단을 내려오는 모습이 보인다.)

티론 (작은 소리로 날카롭게) 작은애가 오고 있어. 제발 정신 좀 차려. 쟤가 나갈 때까지만이라도! 걜 위해 그 정도는 할 수 있잖아! (그는 억지로 유쾌하고 아버지다운 표정을 짓고 아들을 기다린다. 그녀는 겁에 질려 기다린다. 다시 공황 상태에 사로잡혀, 그녀의 손이 산만하게 목적 없이 앞섶께로, 목으로, 머리로 올라간다. 에드먼드가 문간에 나타나지만, 그의 얼굴도 마주 보지 못한다. 그녀는 얼른 왼편 창가로 가서 응접실 쪽으로 등을 돌린 채 밖을 내다본다. 에드먼드가 청색 서지 기성복에 높고 빳빳한 칼라와 넥타이, 검은색 구두 차림으로 들어온다. 티론. 배우 같은 열띤 어조로) 와우! 말쑥해 보이는데. 나도 위층에 가서 옷 갈아입어야지. (그러면서 그를 지나친다.)

에드먼드 (건조하게) 잠깐만요, 아버지. 안 좋은 얘기는 꺼내고 싶지 않지만, 차비가 없어요. 빈털털이거든요.

티론 (무심코 늘 하던 설교를 시작한다.) 돈의 가치를 모르면 만날 무일푼 신세……. (죄책감에 자제하며, 걱정과 연민이 섞인 표정으로 병색이 완연한 아들의 얼굴을 바라본다.) 하지만 넌 알지. 아프기 전에는 열심히 일했으니까. 그것도 아주 멋지게 말이야. 네가 자랑스럽구나. (바지 호주머니에서 작은 돈뭉치를 꺼내 조심스레 한 장 빼낸다. 에드먼드는 돈을 받아 힐끔 보고, 놀라운 표정을 짓는다. 티론이 다시 습관적으로 빈정댄다.) 고맙습니다, 해야지. (그러곤 극의 대사를 인용한다.) "독사의 이빨보다도 날카롭나니……."

에드먼드 "고마움을 모르는 아이여"[4] 저도 알아요. 저한테도 말할 기회를 주세요, 아버지. 놀라 말이 안 나오네요. 이건 일 달러가 아니에요. 십 달러짜리라고요.

티론 (자신의 관대함에 스스로도 쑥스러워하며) 넣어둬. 시내에서 친구를 만날지도 모르는데, 호주머니에 돈이 있어야 기가 안 죽지.

에드먼드 정말이세요? 어이쿠, 감사합니다, 아버지. (정말로 기뻐하고 고마워하다, 의심 어린 눈길로 불안하게 아버지를 쳐다본다.) 그런데 왜 갑자기……? (냉소적으로) 의사 선생이 제가 죽기라도 한다던가요? (아버지가 정말로 마음 아파하는 것을 보고) 아니에요! 그냥 한번 해본 소리예요. 농담이었다고요. (그러곤 충동적으로 아버지를 한 팔로 다정하게 안는다.) 정말 고마워요. 정말이에요, 아버지.

티론 (감동해서 같이 껴안는다.) 고맙긴, 자식.

메리 (갑자기 두려움과 화가 혼란스럽게 뒤섞인 공황 상태에서 그들을 향해) 난 받아들일 수 없어! (발까지 구르며) 내 말 알아들어, 에드먼드? 그런 끔찍한 헛소리를 지껄이다니! 죽을 거라니! 그놈의 책 때문이야! 슬픔이나 죽음을 얘기하는 책들뿐이잖아! 당신이 그런 책들 못 읽게 했어야 하는데. 거기다 네가 쓴 시들은 더 끔찍해! 넌 아예 살고 싶은 맘도 없는 것 같아! 앞날이 창창한 애가! 책 흉내 내느라 겉멋이나 부리고! 진짜로 아픈 게 아니야!

티론 여보! 그만!

메리 (즉각 초연하게 바뀐 어조로) 하지만 여보, 작은애가 저렇게 우울해하고, 아무것도 아닌 일을 심각하게 받아들이는 게 우습잖아

---

4 셰익스피어의 《리어왕》 1막 4장에 나오는 대사.

요. (에드먼드를 향해 돌아서지만, 그의 눈은 피하며 놀리듯이 다정하게) 얘야, 신경 쓰지 마. 네 맘 다 알아. (그에게 다가간다.) 응석부리고 싶어서, 크게 떠벌리고 떼쓰고 싶어서 그런 거지? 그렇지? 아직 어린애라니까. (두 팔로 그를 껴안는다. 그는 뻣뻣하게 굳어 서 있기만 한다. 그러자 그녀의 목소리가 떨리기 시작한다.) 하지만 얘야, 너무 심하게 그러지는 마. 끔찍한 소릴 입에 담으면 안 돼. 그런 말들을 바보처럼 진지하게 받아들이면 안 된다는 거 알지만, 잘 안 돼. 너 때문에……너무 겁이 나서. (아들의 어깨에 얼굴을 묻고 흐느낀다. 에드먼드는 자신도 모르게 마음이 움직여, 그녀의 어깨를 어색하게 다독인다.)

에드먼드 어머니, 이러지 마세요. (아버지와 눈이 마주친다.)

티론 (쉰 목소리로, 가망 없는 희망을 움켜쥐며) 아까 엄마한테 하겠다던 말 지금 하면……. (시계를 만지작거리며) 이런, 시간이 이렇게 됐네! 서둘러야겠어. (그는 황급히 응접실로 간다. 메리가 고개를 든다. 다시 초연하고 어머니답게 걱정하는 태도로 변한다. 아직 눈에 남아 있는 눈물도 잊은 것 같다.)

메리 몸은 어떠니? (그의 이마에 손을 대본다.) 머리에 열이 약간 있지만, 햇볕을 쬐어서 그런 거야. 아침보다는 훨씬 좋아 보이는구나. (그의 손을 잡으며) 이리와 앉으렴. 그렇게 오래 서 있으면 안 돼. 기력을 아껴둬야지. (그를 의자에 앉히고, 그녀의 눈을 보지 못하게 그의 의자 팔걸이 위에 앉아, 그의 어깨에 팔을 두른다.)

에드먼드 (전혀 가망이 없다고 느끼면서도, 불쑥 호소하기 시작한다.)

어머니, 좀 들어…….

메리 (재빨리 말을 끊으며) 이런, 이런! 말하지 마. 그냥 푹 기대 쉬어. (설득조로) 오늘 오후엔 그냥 집에 있는 게 좋을 것 같구나. 엄마가 돌봐줄게. 이렇게 뜨거운 날에 지저분하고 낡은 전차를 타고 시내에 가는 건 무리야. 집에서 엄마랑 있는 게 훨씬 좋아.

에드먼드 (멍하게) 의사 선생하고 약속한 거 모르세요? (다시 호소를 시도한다.) 어머니, 제 말…….

메리 (잽싸게) 전화해서 몸이 안 좋다고 하면 되잖아. (흥분해서) 만나 봐야 시간 낭비, 돈 낭비야. 헛소리만 지껄일 텐데 뭘. 심각한 병이라고 꾸며댈 게 뻔해. 생계가 걸린 문제니까. (차갑게 살짝 비웃음을 날리며) 멍청한 늙은이! 근엄한 얼굴로 의지력밖에 설교할 줄 모르다니!

에드먼드 (그녀의 눈길을 붙잡으려고 애쓰며) 어머니! 제발 좀 들어 보세요! 중요하게 드릴 말씀이 있어요! 이, 이제 시작일 뿐이에요. 지금이라도 끊을 수 있어요. 의지력이 있잖아요! 저희 모두 도와드릴게요. 뭐든 할게요! 네, 어머니?

메리 (애원조로 더듬거린다.) 제발 그만! 모르는 소리 마!

에드먼드 (힘없이) 좋아요, 그만두죠. 소용없을 줄 알았어요.

메리 (이젠 완전히 부인하는 어조로) 무슨 소린지 모르겠구나. 하지만 너한테 그런 말 할 자격이 없다는 건 알지. 내가 요양원에서 돌아오자마자 아프기 시작한 사람이 바로 너니까. 요양원 의사 말이, 집에서 아무 걱정 없이 맘 편하게 지내야 한다고 했어. 그런데 만날 네 걱정만 하고 살아. (그러곤 심란해져서) 하지만 핑계를 대는 건 아냐! 그냥 설명하려는 것뿐이지! 변명이 아니라고! (아들을 껴안으며 애원조로) 얘야, 약속해주렴. 엄마가 네 핑계를 대는 게 아니란 걸 믿어주겠다고.

에드먼드 (신랄하게) 달리 어떻게 생각하겠어요?

메리 (천천히 팔을 풀며, 다시 감정이 배제된 초연한 태도로) 그래, 너도 의심할 수밖에 없겠지.

에드먼드 (부끄러워하면서도 여전히 날카롭게) 뭘 기대하세요?

메리 아무것도. 네 탓이 아냐. 나도 나를 못 믿는데, 네가 어떻게 날 믿을 수 있겠니? 난 완전히 거짓말쟁이가 됐어. 전에는 일절 거짓말한 적 없는데. 지금은 할 수밖에 없어. 특히 나 자신한테 말이야. 하지만 네가 어떻게 이해를 하겠니. 나도 나를 이해 못하는데. 오래전 어느 날부턴가 내 영혼이 내 게 아니란 걸 깨닫게 되었다는 것 말고는, 나도 아무것도 모르겠어. (잠시 사이를 두었다가, 목소리를 낮춰 묘하게 확신에 찬 어조로 속삭인다.) 하지만 언젠간 되찾을 거야. 언젠가 식구들 모두 잘 지내고, 너도 건강하고 행복하게 잘살면, 그래서 더는 죄책감이 안 들면, 언젠가 성모 마리아 님이 날 용서해주면, 덕분에 수녀원 시절처럼 성모님의 사랑과 연민에 대한 믿음을 회복해서 다시 기도할 수 있게 되면, 성모님은 이 세상에서 단 한순간도 날 믿어주는 사람이 없다는 걸 아시고 날 믿어주실 거야. 그러면 성모님의 도움으로, 내 영혼도 더 쉽게 되찾을 수 있을 거야. 고통에 울부짖는 내 비명 소리를 듣고도 웃을 수 있을 거고. 나 자신을 믿을 테니까. (에드먼드가 절망적으로 침묵만 지키자, 그녀는 슬프게 덧붙인다.) 물론, 넌 이 말도 못 믿겠지? (의자 팔걸이에서 일어나, 오른편 창가로 가서 그에게 등을 돌리고 창밖을 내다보며 심상하게) 생각해보니, 너도 시내에 다녀오는 편이 좋겠구나. 드라이브 가기로 한 걸 깜빡했어. 약국에 다녀와야 하거든. 네가 나랑 같이 약국에 가줄 리도 없고. 너무 창피할 테니까.

에드먼드 (울먹이며) 엄마! 그러지 마세요!

메리 아버지가 준 십 달러, 형하고 나눠 갖겠지? 언제나 그랬잖아, 안 그래? 착한 애들처럼 말이야. 하지만 음, 네 형이 그 돈으로 뭘 할지 뻔해. 지 수준에 맞는 여자들하고나 어울릴 수 있는 곳에서 진탕 퍼마실 거야. (그를 향해 돌아서, 겁에 질려 애원조로) 작은애야! 넌 술 안 마시겠다고 약속해! 술 마시는 건 너무 위험한 짓이야! 의사 선생도 말하지…….

에드먼드 (신랄하게) 그 멍청한 늙은이요? 그건 그렇고, 오늘 밤까지 뭐 하실 거예요?

메리 (비참하게) 에드먼드! (현관에서 제이미의 목소리가 들려온다.) "꼬맹이, 얼른 와. 얼른 가자." (순간 메리는 다시 초연한 태도로 돌아간다.) 가봐, 에드먼드. 형이 기다리잖니. (그러곤 응접실 문을 향해 간다.) 아버지도 내려오시네. (티론이 부르는 소리가 들린다.) "작은애야, 가자."

에드먼드 (의자에서 벌떡 일어나며) 가요. (그녀의 옆에 멈춰 서, 그녀를 쳐다보지도 않고) 다녀올게요, 어머니.

메리 (아들에게 초연하면서도 다정하게 키스를 한다.) 잘 갔다 와. 집에서 저녁 먹을 거면 늦지 말고. 아버지한테도 전해. 브리지트가 어떤 사람인지 너도 알잖니. (에드먼드는 서둘러 나간다. 티론과 제이미가 현관에서 소리친다. "여보, 갔다 올게", "다녀올게요, 어머니." 그녀도 대꾸를 한다.) 잘들 다녀와요. (그들이 나가고 현관 방충문이 닫히는 소리가 들린다. 그녀는 탁자 옆에 다가와 서서 한 손으로는 탁자를 두드리고, 다른 손으로는 불안하게 머리를 매만진다. 그러다 겁에 질린 고독한 눈으로 방 안을 둘러보며 혼잣말을 한다.) 여긴 너무 쓸쓸해. (다음 순간 그녀의 얼굴이 쓰디쓴 자기 경멸로 딱딱하게 굳어진다.) 너 또 거짓말이구나. 사실은 식구들을 다 쫓아내버리고 싶으면서. 경멸과 혐오감에 함께 있기도 싫으면서. 식구들이 다 나가버려서 좋으면서. (그러곤 픽 절망적인 웃음을 짓는다.) 그런데 성모님, 왜 저는 이렇게 외로운 걸까요?

막

3막

무대

같은 장소. 저녁 여섯 시 반경. 거실에 어둠이 깔리고 있다. 벌써부터 어둑어둑한 것은 만에서 몰려온 안개가 창밖에 커튼처럼 하얗게 드리워져 있기 때문이다. 항구 입구 저편의 등대에서는 무적 소리가 분만 중인 고래의 신음 소리처럼 일정한 간격으로 구슬프게 들려오고, 항구에서는 정박 중인 요트의 경고 종소리가 띄엄띄엄 울려 퍼진다.

2막의 점심 식사 전 장면에서처럼, 위스키 병과 유리잔, 물주전자가 담긴 쟁반이 탁자 위에 놓여 있다.

메리와 하녀 캐슬린이 보인다. 캐슬린은 탁자 왼편에 서 있다. 그녀는 자신이 술잔을 들고 있다는 것조차 잊은 것 같은 품새로 빈 위스키 잔을 손에 들고 있다. 멍청하고 사근사근한 얼굴에 우쭐거리며 바보 같은 웃음을 짓는 것이, 취한 티가 역력하다.

메리의 안색은 전보다 더 창백하고, 눈에선 이상한 광채를 뿜어내고 있다. 그 묘하게 초연한 태도도 더욱 분명해졌다. 자기 안으로 더 깊이 숨어 들어가, 꿈속에서 피난처와 해방구를 찾은 것처럼 보인다. 이 꿈속에서 현실은 무감각하게……혹은 아주 냉소적으로……받아넘기거나 완전히 무시해버려도 되는 현상에 불과하다. 자신도 의식하지 못하는 사이, 신이 나서 재잘거리던 순수한 수녀원 시절로 되돌아간 듯, 이따금씩 기괴하리만치 명랑하고 자유로우며 젊음에 넘치는 태도를 보인다. 차림새는 시내로 드라이브 갈 때 갈아입은 옷 그대로다. 심플하지만 아주 비싸 보이는 옷인데, 아무 생각 없이 되는대로 걸친 것 같은 모양새만 아니라면 썩 잘 어울릴 것 같다. 머리카락도 지금은 공들여 매만진 것 같지 않다. 약간 헝클어진 데다 균형도 안 맞아 보인다. 그녀는 막역한 친구를 대하듯 캐슬린에게 격의 없이 다정하게 말을 건다. 막이 오르면, 그녀는 방충문 옆에 서서 밖을 내다보고 있다. 무적 소리가 흐느끼듯 울린다.

메리 (흥에 겨워, 소녀처럼) 무적 소리야! 끔찍하지 않니, 캐슬린?

캐슬린 (평소보다 더 허물없이 말하긴 하지만, 주인을 정말로 좋아하기 때문에 의도적으로 무례하게 굴지는 않는다.) 그러네요, 마님. 꼭 밴시[5] 소리 같아요.

메리 (못 들은 것처럼 말을 계속한다. 이어지는 모든 대화에서 메리가 오직 말을 계속하기 위한 핑계거리로 캐슬린을 데리고 있는 것 같은 느낌이 든다.) 오늘 밤엔 신경 안 쓸 거야. 간밤에는 저 소리에 미치는 줄 알았어. 더는 참을 수 없을 때까지 걱정하며 뜬눈으로 누워 있었다니까.

캐슬린 망할 놈! 시내에서 차 타고 돌아올 때 저도 무서워 미치는

5 가족의 죽음을 예고해준다는 여자 요정.

줄 알았어요. 그 못생긴 원숭이 같은 스마이디가 차를 도랑에 처박거나 나무에 들이박는 줄 알았거든요. 바로 눈앞에 있는 손도 안 보였으니까요. 마님하고 같이 뒤에 타게 해주셔서 정말 고마워요. 그 원숭이랑 같이 앞자리에 탔더라면, 그 인간, 그 더러운 손을 가만히 못 놔뒀을 거예요. 조금만 틈이 나면, 다리를 꼬집질 않나, 거기를 더듬질 않나. 거기가 어딘지는 아시죠? 죄송해요, 마님. 하지만 사실인걸요.

메리 (몽롱하게) 캐슬린, 내가 싫어하는 건 안개가 아냐. 안개는 정말로 좋아해.

캐슬린 안개가 혈색에 좋다고는 하더라고요.

메리 안개는 세상에서 우리를, 우리에게서 세상을 숨겨주지. 모든 게 달라진 것 같고, 모든 것이 전과는 다르게 보여. 그래서 누구도 우리를 찾아내거나 건드리지 못하지.

캐슬린 스마이디가 다른 운전사들처럼 착하고 잘생겼다면, 저도 이렇게 신경 쓰진 않을 거예요. 그러니까 제 말은, 다 장난으로 그런 거라면 괜찮다는 거죠. 전 너그러운 여자니까요. 그런데 쪼글쪼글 난쟁이 같은 게……! 그래서 너 같은 원숭이를 눈여겨볼 정도로 내가 그렇게 궁한 줄 아냐고 쏘아붙였죠. 언젠가 한 방 먹여서 일주일 정도 뻗어 있게 해줄 거야, 그랬어요. 진짜로 그럴 거예요!

메리 내가 싫어하는 건 무적 소리야. 사람을 그냥 안 놔두거든. 저 소리를 들으면, 자꾸 옛날 일들이 생각나서 겁이 나. (묘한 웃음을 지으며) 하지만 오늘 밤은 안 될걸. 저건 그냥 듣기 싫은 소리일 뿐이야. 저 소릴 들어도, 아무것도 되살아나지 않을 거야. (소녀처럼 짓궂게 웃으며) 하지만 그이 코 고는 소리는 예외지. 코 고는 걸 갖고 그일 놀리는 건 언제나 재밌어. 그인 정말 오래전부터 코를 골았단다. 특히 과음만 하면 영락없지. 그런데 죽어도 인정을 안 해. 어린애처럼 말이야. (탁자로 가며 웃는다.) 물론, 나도 가끔은 코를 골 거야. 나도 인정하기 싫고. 그러니 놀릴 자격도 없어. 안 그래? (탁자 오른편 흔들의자에 앉는다.)

캐슬린 아녜요, 마님. 건강한 사람들은 다 코를 골아요. 정신이 온전하다는 증거라는데요. (그러곤 걱정스러운 듯) 마님, 지금 몇 시죠? 부엌에 가봐야 하는데. 날씨만 궂으면 브리지트가 관절염이 도져서 마귀할멈처럼 성질을 부려요. 가면 호되게 야단을 칠 거예요. (술잔을 탁자에 내려놓고 뒷방으로 간다.)

메리 (순간적으로 두려움에 휩싸여) 안 돼! 가지 마, 캐슬린. 아직 혼자 있고 싶지 않아.

캐슬린 조금만 있으면 돼요. 주인님하고 도련님들이 곧 돌아오실 거예요.

메리 저녁 먹을 때까지 올까 모르겠네. 술집에 들를 좋은 핑계거리도 있겠다, 술집도 좋아하겠다. (캐슬린은 당황한 표정으로 멍하니 메리를 쳐다본다. 메리가 웃으며 말을 잇는다.) 브리지트 걱정은 마. 내가 붙잡아두었다고 할게. 그리고 갈 때 위스키 한 잔 갔다 줘. 그럼 넘어가줄 거야.

캐슬린 (씩 웃고, 다시 편안하게) 맞아요, 마님. 그것만 있으면 괜찮을 거예요. 술을 좋아하잖아요.

메리 마시고 싶으면 너도 한 잔 더 해.

캐슬린 그래도 되는지 모르겠네요, 마님. 벌써 취한 것 같은데. (술병으로 손을 뻗으며) 뭐, 한 잔 더 해도 나쁘지 않겠죠. (술을 따른다.) 마님의 건강을 위하여! (쭉 들이켜고 물도 챙겨 마시지 않는다.)

메리 (멍하게) 캐슬린, 나도 예전엔 건강했단다. 오래전 이야기지만.

캐슬린 (다시 걱정이 돼서) 술병이 줄어든 걸 주인님이 분명 알아차리실 텐데. 눈이 매 눈 같으시잖아요.

메리 (재미있어하며) 그럼, 우리도 큰애처럼 속임수 써볼까? 물 몇 잔 부어두면 돼.

캐슬린 (물을 부으며 바보처럼 킬킬거린다.) 이런, 얼추 술 같은데요. 맛으로 금방 알아차리시겠지만.

메리 (무심하게) 아냐, 모를 거야. 슬픔을 술로 달랠 좋은 핑계거리도 생겼겠다, 곤죽이 돼서 돌아올 테니까.

캐슬린 (철학적으로) 그건 확실히 사내들의 결점이에요. 그래도 전 술 한 방울 안 대는 남자는 싫어요. 패기가 없거든요. (그러곤 무슨 말인지 모르겠다는 듯 멍청하게) 좋은 핑계거리요? 작은 도련님 말씀하시는 거예요? 주인님이 작은 도련님 때문에 걱정하신다는 건 알지만.

메리 (방어적으로 굳어진다. 하지만 이런 반응은 진짜 감정과는 상관이 없는 듯, 묘하게 기계적인 느낌이 든다.) 멍청한 소리 마, 캐슬린. 걱정할 거 뭐 있어? 감기 기운은 아무것도 아냐. 그리고 그 양반은 돈하고 땅, 늙어서 돈 한 푼 없으면 어쩌나 하는 것 말고는 아무 걱정 안 해. 심각하게 걱정 안 한단 말이지. 다른 건 정말 아무것도 모르니까. (재미있어하면서도 애정을 갖고 초연하게 살짝 웃는다.) 캐슬린, 그인 정말 독특한 양반이야.

캐슬린 (왠지 모르게 화가 나서) 마님, 주인님은 신사예요. 멋지고 잘생기고 친절하잖아요. 그러니까 결점은 신경 쓰지 마세요.

메리 오, 신경 안 써. 난 삼십육 년간이나 그일 열렬히 사랑했어. 이건 바로 그일 이해하고 있다는 증거야. 사실은 정이 많은 사람인데, 어쩌다 지금처럼 되었다는 걸 말이야. 안 그래?

캐슬린 (몽롱한 중에도 안심이 돼서) 맞아요, 마님. 주인님을 정말로 사랑하셔야 해요. 주인님이 마님 뒤꿈치만 봐도 좋아한다는 건 바보라도 알 수 있으니까요. (조금 전에 마신 술의 취기와 싸우며, 말을 또렷하게 하려고 애쓴다.) 마님, 연기 말인데요. 왜 무대에는 안 서신 거예요?

메리 (화가 나서) 나? 왜 그런 말도 안 되는 생각을 한 거지? 난 뼈대 있는 집안에서 자랐고, 중서부 최고의 수녀원 학교를 졸업했어. 그이를 만나기 전에는 극장 같은 거, 있는 줄도 몰랐지. 신앙심이 깊은 소녀였거든. 수녀가 될 생각까지 했었다니까. 배우가 될 마음은 조금도 없었어.

캐슬린 (퉁명스럽게) 하긴. 그래도 마님이 수녀가 되는 건 상상이 안 돼요. 성당에도 안 나가시잖아요.

메리 (이 말을 무시하고) 극장에선 마음 편한 적이 없었어. 순회공연 때마다 그이가 날 데리고 다녔지만, 극단 사람은 물론이고 출연 배우들하고도 사귀질 못했지. 그 사람들을 싫어해서 그런 건 아냐. 그들도 나도 겉으로는 친절했지. 하지만 그 사람들하고 어울리는 게 편하지 않더라고. 그들의 삶이 나랑 달라서였을까. 나하고 그들 사이엔 언제나 뭔가가 가로막혀……. (벌떡 일어나며 퉁명스럽게) 쓸데없이 옛날 얘기는 하지 마. (현관문으로 가서 밖을 내다본다.) 안개가 정말 자욱하네. 길이 안 보여. 세상 사람 전부가 지나가도, 안 보일 것 같아. 늘 이랬으면 좋겠네. 벌써 어두워지고 있잖아. 다행이지 뭐. 곧 밤이 될 테니까. (돌아서서 몽롱하게) 캐슬린, 오후에 같이 나가줘서 정말 고마워. 혼자서 갔으면 정말 쓸쓸했을 거야.

캐슬린 뭘요. 저도 집 안에 처박혀서 브리지트한테 가짜 연애담이나 듣는 것보다, 좋은 차 타고 드라이브를 한 게 훨씬 좋았어요. 소풍 갔다 온 거 같아요. (사이를 두었다가 멍청하게) 맘에 안 들었던 게 하나 있긴 하지만요.

메리 (멍하게) 그게 뭔데?

캐슬린 마님 약 받으러 갔을 때, 그 약사 말예요. (분개해서) 건방지게!

메리 (여전히 멍하게) 무슨 얘기야? 무슨 약사? 약은 또 뭐고? (캐슬린이 놀라서 멍하니 쳐다보자, 황급히) 아, 깜빡했다. 손 관절염

약 사러 갔었지. 약사가 뭐라고 그랬는데? (그러곤 관심 없다는 듯) 약을 처방해준 이상, 상관없잖아.

캐슬린 저한텐 상관 있어요! 도둑 취급 받는 덴 익숙하지 않거든요. 그 약사가 절 한참 쳐다보더니, 기분 나쁘게 이러는 거예요. "이 처방전 어디서 났어요?" 그래서 그랬죠. "당신 알 바 아니지만, 꼭 알아야겠다면, 제 주인인 티론 부인 건데요. 지금 차 안에 계세요." 그랬더니 즉각 입 닫아버리더라고요. 밖을 내다보며 "아하" 하더니 약 지으러 가던데요.

메리 (멍하게) 그래, 그 약사 날 알지. (탁자 오른편 뒤쪽의 안락의자에 앉는다. 그리고 초연한 어조로 차분하게 덧붙인다.) 그건 특별한 약이야. 다른 약으로는 고통, 그 갖은 고통을, 그게 그러니까 손의 통증 말이야, 고통을 멈출 수가 없거든. 그 약을 먹어야만 해. (손을 들어 올려, 우울한 얼굴로 안쓰럽다는 듯 손을 바라본다. 지금은 손이 떨리는 증상은 없다.) 가엾은 손! 넌 안 믿겠지만, 한때는 내 머리카락이랑 눈과 함께 이 손도 자랑거리였어. 그땐 몸매도 예뻤는데. (점점 더 현실에서 멀어지며 몽롱하게) 음악가 손 같았단다. 피아노를 좋아했거든. 수녀원 학교에 있을 땐 음악 공부를 정말 열심히 했는데……. 좋아하는 일 하는 걸 공부라고 한다면 말이야. 엘리자베스 원장님하고 음악 선생님도 나처럼 재능이 뛰어난 아이는 본 적이 없다고 했어. 그래서 아버지가 특별 레슨까지 받게 해줬지. 날 무척 사랑하셨거든. 내가 원하는 건 뭐든 들어주셨어. 수녀원 학교를 졸업한 뒤에는 유럽으로 유학도 보내주려고 했단다. 그이와 사랑에 빠지지만 않았어도, 유럽에 갔을 텐데. 아님 수녀가 되었거나. 난 두 가지 꿈이 있었는데, 하나는 수녀가 되는 거였어. 이게 더 아름다운 꿈이었지. 다른 하나는 피아니스트가 되는 거였고. (말을 멈추고 손을 뚫어지게 쳐다본다. 캐슬린은 졸음과 취기를 물리치려고 눈을 깜빡인다.) 피아노에 너무 오래 손도 안 댔네. 하지만 치고 싶어도 이렇게 비틀어진 손가락으로는 칠 수 없었어. 결혼하고 얼마 동안은 계속 치려고 노력했는데. 하지만 가망 없었어. 순회공연에 싸구려 호텔, 지저분한 기차, 집 한 칸 없이 애들하고 떨어져 지내면서……. (혐오감에 망연히 자신의 손을 바라본다.) 봐, 캐슬린, 너무 흉해! 병신 손 같아! 끔찍한 사고라도 당한 것 같지 않아? (묘하게 웃으며) 생각해보면, 사고였다고도 할 수 있지. (갑자기 손을 등 뒤로 감춘다.) 안 볼래. 무적 소리보다도 옛날 생각이 더 나게 만드니……. (그러곤 자기 확신에 차서 도전적으로) 하지만 이젠 손도 거슬리지 않아. (다시 손을 빼서 차가운 눈으로 찬찬히 뜯어본다.) 먼 옛날 일이야. 이렇게 손을 보고 있어도, 이젠, 아프지 않아.

캐슬린 (무슨 영문인지 몰라 멍청하게) 약 드셨죠, 마님? 약을 드시니 재밌으시네요. 약 드신 줄 몰랐으면, 한잔 하신 줄 알았겠어요.

메리 (몽롱하게) 약을 쓰면 고통이 사라져. 아픔이 없는 과거로 돌아가거든. 정말로 행복했던 과거로. (사이. 이런 말들이 행복을 되살리는 주문이라도 되는 것처럼, 얼굴 표정과 태도가 싹 달라진다. 덕분에 더 젊어 보인다. 그녀는 순진무구한 수녀원 학교 학생처럼 수줍게 웃는다.) 캐슬린, 넌 지금도 그이가 미남이라고 생각하지. 내가 처음 만났을 때의 그이를 봤어야 하는데. 그인 우리나라 최고 미남 가운데 하나였어. 수녀원 여학생들 중에서 그이 연기나 사진을 본 애들은 그야말로 열광했지. 알아? 당시에 그인 유명한 흥행 스타였어. 그이가 나오는 걸 보려고 여자들이 분장실 앞에서 진을 치고 있었다니깐. 아버지가 제임스 티론과 친구가 되었다면서, 부활절 방학 때 집에 오면 그일 만날 수 있을 거라고 편지를 보내왔을 때, 얼마나 흥분했는지! 짐작이 가지? 편지를 친구들한테 보여줬더니, 다들 부러워 죽었어! 아버지는 먼저 그이 공연을 보여줬지. 프랑스 혁명을 다룬 연극이었는데, 주인공이 귀족이었어. 난 그이한테서 눈을 뗄 수가 없었단다. 그이가 감옥에 갇혔을 때는 막 눈물이 나고 말야. 눈하고 코가 붉어지면 어쩌나 걱정이 돼서, 제정신이 아니었어. 아버지가 공연이 끝나면 분장실로 가보자고 했었거든. (살짝 흥분해서 수줍게 웃으며) 공연 끝나고 그일 만나러 갔지. 그런데 난 수줍음에 바보처럼 얼굴이 빨개져서 더듬거리기만 했어. 하지만 그인 날 바보로 보진 않은 것 같아. 소개받는 순간, 그이가 날 좋아한다는 걸 알 수 있었으니까. (요염하게) 내 눈하고 코가 붉어지진 않았던 모양이야. 캐슬린, 그때 나 정말 예뻤다. 그이도 상상했던 것보다 훨씬 멋졌고. 분장을 하고 귀족 의상을 입은 모습이 그이랑 아주 잘 어울렸어. 다른 세상에서 온 사람 같았지. 보통 사람들하고는 달랐어. 그러면서도 소박하고 친절하고 겸손한 게, 거만하지도 않고 허영기도 없었어. 난 첫눈에 반해버렸지. 나중에 그이가 한 말인데, 그이도 그랬대. 그 바람에 난 수녀나 피아니스트가 되겠다던 생각 따윈 까맣게 잊어버렸어. 그이 아내가 되고 싶은 마음뿐이었거든. (말을 멈추더니, 홀린 듯 소녀처럼 부드럽게 웃음을 머금고 이상하게 반짝이는 몽롱한 눈으로 앞을 응시한다.) 삼십육 년 전 일인데, 오늘 일처럼 또렷해! 그 후로 우린 사랑에 빠졌지. 삼십육 년 동안 그이는 다른 여자랑 스캔들 한번 일으키지 않았어. 날 만나고부터는 안 그랬어. 그래서 난 정말 행복했단다, 캐슬린. 덕분에 다른 일들은 전부 용서할 수 있었어.

캐슬린 (취기에 졸음과 씨름하며, 감상에 젖어) 주인님은 멋진 신사고, 마님은 복이 많으신 분이네요. (그러곤 안절부절못하며) 마님, 브리지트한테 정말 술 가져다줘도 되요? 저녁 시간이 거의 다 됐을 텐데. 부엌에 가서 브리지트를 도와야 해요. 화풀이할 게 없으면, 식칼을 들고 절 쫓아올지도 몰라요.

메리 (꿈에서 깨어나 멍하면서도 화가 나서) 그래, 그래, 갖고 가. 이젠 가도 돼.

캐슬린 (안도하며) 고맙습니다, 마님. (그녀는 술을 한 잔 따라 들고 뒷방 쪽으로 간다.) 조금만 기다리세요. 주인님하고 도련님들이…….

메리 (성마르게) 아니, 아니. 안 올 거야. 브리지트한테 기다리지 않을 거라고 해. 여섯 시 반 되면 재까닥 저녁 차리라고. 배는 안 고프지만, 식탁에는 앉을 거야. 같이 먹고 치우자고.

캐슬린 뭐 좀 드셔야 해요, 마님. 식욕을 앗아가다니 이상한 약이네.

메리 (다시 몽롱한 상태에 빠져들며 기계적으로) 무슨 약? 무슨 말인지 모르겠구나. (내보내려고) 얼른 브리지트한테 술 가져다줘.

캐슬린 네, 마님. (뒷방으로 사라진다. 메리는 부엌문 닫히는 소리가 들릴 때까지 기다린다. 그러다 다시 긴장을 풀고 몽롱한 상태에 빠져들면서, 뚫어지게 허공을 응시한다. 팔을 의자 팔걸이에 편안히 걸치자, 비틀린 데다 손마디도 울퉁불퉁한 길고 섬세한 손가락은 아무런 동요 없이 축 늘어진다. 방 안은 점점 어두워지고, 죽음 같은 고요가 지속된다. 그러다 바깥에서 흐느끼는 것 같은 무적 소리가 우울하게 들리더니, 항구에 정박 중인 배들에서도 일제히 종소리가 울려 퍼진다. 하지만 이 종소리들은 안개에 묻혀 희미하게 들려온다. 메리의 얼굴만 보면, 그녀는 종소리를 못 들은 것 같다. 하지만 그녀의 손은 움찔거리고, 손가락들도 잠시 허공에서 저 홀로 움직인다. 파리 한 마리가 마음속으로 들어오기라도 한 듯, 그녀는 얼굴을 찌푸리며 머리를 흔들어댄다. 순간 소녀 같던 기색은 모두 사라져버리고, 다시 늙고 냉소적이고 우울하고 분노에 젖은 여자의 모습으로 돌아온다.)

메리 (씁쓸하게) 이 감상적인 바보. 멍청하고 낭만적인 여학생과 흥행 스타의 첫 만남이 뭐가 그리 대단했다고. 그이를 만나기 전, 수녀원 학교에서 성모 마리아 님한테 기도하던 때가 훨씬 행복했는데. (그리움에 젖어) 잃어버린 믿음을 찾아, 다시 기도할 수만 있다면! (사이를 두었다가, 단조롭고 공허한 목소리로 〈성모 마리아에게 드리는 기도〉를 외기 시작한다.) "은총 가득하신 마리아! 주님께서 함께하시니, 당신은 여인 중에 여인" (냉소적으로) 성모님이 거짓말이나 일삼는 마약 귀신 말에 속아 넘어가실 것 같아? 넌 그분을 피할 수 없어! (벌떡 일어난다. 손을 들어 올려 산만하게 머리를 매만진다.) 위층으로 가야 해. 모자랐어. 약을 다시 하게 되면 정확히 얼마나 해야 할지 모르겠단 말야. (응접실을 향해 가다, 현관 앞길에서 사람들 목소리가 들려오자, 문간에서 걸음을 멈추고 죄책감을 느끼기 시작한다.) 식구들이 분명해……. (서둘러 돌아가 앉는다. 고집 세고 방어적인 얼굴로 화가 나서) 왜 오는 거야? 오기 싫었을 텐데. 나도 혼자 있는 게 더 좋고. (갑자기 태도가 싹 바뀌어, 애처로울 정도로 안도하며 간절하게) 오, 드디어 오는구나! 너무 좋아! 미치게 외로웠는데! (현관문 닫히는 소리에 이어, 티론이 현관에서 불안하게 부르는 소리가 들린다.)

티론 여보, 거기 있어? (현관 불이 켜지자, 응접실에서 메리가 있는 곳까지 환하게 밝아진다.)

메리 (사랑스러우리만치 환한 얼굴로 의자에서 일어나, 들뜬 목소리로 소리친다.) 여보, 저 여기 있어요. 거실이오. 당신 기다리고 있었어요. (티론이 응접실을 통해 들어온다. 에드먼드가 그의 뒤를 따른다. 티론은 술을 많이 마셨지만, 눈이 약간 게슴츠레하고 발음이 불분명한 것 말고는 취한 것처럼 보이진 않는다. 에드먼드도 한두 잔 마신 게 아니지만, 푹 꺼진 뺨이 발그레하고 눈이 반짝거리며 열기가 있는 것 말고는 별로 티가 안 난다. 그들은 문간에 멈춰 서서 메리를 관찰한다. 그러곤 예상했던 대로 상태가 최악임을 알아챈다. 하지만 그런 순간에도 메리는 이들의 비난하는 듯한 낌새를 알아차리지 못한다. 그녀는 부자연스러우리만치 과장된 태도로 티론과 에드먼드에게 차례대로 키스를 한다. 그들이 몸을 움츠리며 키스를 받아들이자, 그녀가 흥분해서 주절거린다.) 와줘서 정말 기뻐요. 체념하고 있었거든요. 집에 오지 않을까 봐 겁났어요. 안개도 끼고, 너무 음산한 저녁이잖아요. 시내 술집이 더 신났을 텐데. 사람들하고 이야기도 나누고 농담도 할 수 있으니까. 오, 아니라고 안 해도 돼요. 당신 기분 잘 아니까. 당신 원망 조금도 안 해요. 집에 와줘서 정말로 고마운걸요. 난 여기서 그냥 우울하고 쓸쓸하게 앉아 있었어요. 와서 앉아요. (그녀는 탁자 왼쪽 뒤편에 앉고, 에드먼드는 탁자 왼편에, 티론은 탁자 오른편 흔들의자에 앉는다.) 저녁이 금방 준비되지는 않을 거예요. 사실 좀 일찍 왔잖아요. 해가 서쪽에서 뜨려나. 여기, 위스키 있어요. 한 잔 따라 드릴까요? (대답도 안 기다리고 한 잔 따른다.) 작은애, 너도? 권하고 싶진 않지만, 에피타이저로 한 잔 하는 건 괜찮을 거야. (에드먼드에게 술을 따라 준다. 티론과 에드먼드는 아무런 움직임이 없다. 그녀는 이들의 침묵을 모른 체하며 계속 떠들어댄다.) 큰애는요? 하기야 걘 술값이 남아 있는 한 집에 안 오지. (팔을 뻗어 남편의 손을 쥐며 슬프게) 큰애가 너무 오래 떨어져 있는 것 같아서 걱정이네요. (그녀의 얼굴이 굳어진다.) 하지만 걔가 전처럼 작은애까지 타락시켜버리게 내버려둘 순 없죠. 걘 동생이 항상 사랑을 독차지한다고 질투하는 것 같아요. 유진한테 그랬던 것처럼요.

동생을 자기 같은 낙오자로 만들어야 직성이 풀리려나.

에드먼드 (비참하게) 그만하세요, 어머니.

티론 (멍하게) 그래, 여보. 지금은 말이 적을수록……. (그러더니 에드먼드를 향해 약간 취기 어린 목소리로) 그래도 엄마 말이 옳아. 형을 조심해. 안 그럼, 그 뱀 같은 냉소적인 혀로 네 삶을 망쳐버리고 말 거야!

에드먼드 (전처럼) 그만하세요, 아버지.

메리 (아무 말도 오가지 않은 것처럼, 말을 계속한다.) 다 자란 제이미를 보면, 걔가 내 아들이라는 게 믿기지 않아요. 여보, 걔가 얼마나 건강하고 명랑한 아이였는지 기억나죠? 순회공연에 지저분한 기차, 싸구려 호텔, 거친 음식에도 칭얼대거나 아프지 않았잖아요. 언제나 미소를 짓거나 웃었죠. 웬만해선 안 울었어요. 유진도 그랬죠. 내 부주의로 죽기 전까진, 이 년 동안 건강하고 행복하게 지냈어요.

티론 제발! 집에 온 내가 바보지!

에드먼드 아버지! 그만요!

메리 (에드먼드를 향해 초연하고 부드럽게 웃는다.) 넌 어릴 때부터 까탈스러웠어. 아무것도 아닌 일에도 언제나 흥분하거나 놀랐지. (그의 손을 토닥이며 놀리듯) 모두들 넌 모자만 떨어져도 울 거라고 했단다.

에드먼드 (더는 자제를 못하고 신랄하게) 웃지 않은 데는 그만한 이유가 있었겠죠.

티론 (비난과 연민이 섞인 목소리로) 얘야, 그만, 그만. 신경 쓰지 말고…….

메리 (못 들은 척, 다시 슬프게) 큰애가 커서 우릴 창피하게 만들지 누가 알았겠어요? 여보, 당신 기억하죠? 제이미가 기숙학교에 들어가고 몇 년 동안은 성적이 아주 좋았잖아요. 모두들 그 애를 좋아했어요. 선생님들도 하나같이 걔는 머리가 좋아서 공부를 잘한다고 했고요. 걔가 술을 마셔서 퇴학을 당한 후에도, 정말 맘에 드는 똑똑한 학생인데 유감이라고 편지까지 보냈잖아요. 인생을 진지하게 받아들일 줄만 알면 미래가 밝을 거라고 (사이를 두었다가, 이상하게 슬프고 초연한 어조로 덧붙인다.) 정말 안 됐어. 가엾은 제이미! 이해하기 힘들……. (갑자기 태도가 싹 변한다. 얼굴이 굳어지면서, 비난과 적의 어린 눈으로 티론을 노려본다.) 아뇨, 아녜요. 당신이 걔를 술꾼으로 만들었어요. 걔가 눈을 뜨고 처음으로 본 게 뭔 줄 알아요? 당신 술 마시는 모습이었어요. 싸구려 호텔방 책상에 언제나 술병이 놓여 있었죠! 거기다 어렸을 때 악몽을 꾸거나 배앓이를 하면, 당신은 갤 조용하게 만들려고 언제나 위스키를 줬어요.

티론 (찔끔해서) 그래서, 그 덩치만 큰 게으름뱅이 녀석이 주정뱅이 건달이 된 게 내 탓이란 말이야? 그런 소리 들으려고 집에 온 줄 알아? 내 이럴 줄 알았지! 약을 하면 당신은 늘 사람들 탓을 해. 당신만 쏙 빼고!

에드먼드 아버지! 저한테는 신경 쓰지 말라고 하시고선. (화가 나서) 어쨌든 어머니 말이 사실이잖아요. 저한테도 그러셨어요. 악몽으로 잠이 깨면 언제나 숟가락으로 술을 먹였죠.

메리 (초연하게 과거를 회상하는 어조로) 맞아, 넌 어렸을 때 끊임없이 악몽을 꿔댔어. 날 때부터 겁이 많았으니까. 널 낳는 걸 내가 너무 두려워해서 그런가 봐. (사이를 두었다가, 똑같이 초연한 목소리로 말을 잇는다.) 에드먼드, 제발, 내가 아버지 탓하는 걸로 생각하진 마. 아버지도 어쩔 수 없었어. 열 살 이후로는 학교 문턱도 못 갔거든. 아버지네 가족은 가난에 찌든 아일랜드인들 중에서도 무식한 축에 들었어. 그래서 아프거나 경기 들린 아이한테는 위스키가 최고의 명약이라고 믿었을 거야. (티론이 화가 나서 자신의 가족을 변호하려는 찰나, 에드먼드가 끼어든다.)

에드먼드 (날카롭게) 아버지! (화제를 바꾸며) 이 술 마셔요? 말아요?

티론 (자제하며, 멍하게) 네 말이 맞다. 신경 쓰는 내가 바보지. (그러면서 맥없이 술잔을 집어 든다.) 너도 쭉 들이켜. (에드먼드는 술을 들이켜지만, 티론은 술잔을 뚫어져라 쳐다보고만 있다. 에드먼드는 위스키에 물이 너무 많이 들어가 있음을 즉각 알아차린다. 얼굴을 찌푸리고 술병과 어머니를 번갈아 보면서 무슨 말인가 하려다 그만두어버린다.)

메리 (싹 달라진 어조로, 후회스럽다는 듯) 여보, 내 말이 원망처럼 들렸다면 미안해요. 당신 원망 안 해요. 오래전 일인걸요. 그래도 집에 오지 말걸 그랬다는 소리는 속상했어요. 당신이 집에 와서 얼마나 마음이 놓이고 기분 좋았는데. 당신이 정말 고마웠어요. 밤은 오는데, 여기 안개 속에 혼자 있다 보니까, 너무 쓸쓸하고 외로웠거든요.

티론 (감동받아서) 여보, 당신이 본래대로 행동하면야 나도 집에 온 게 좋지.

메리 너무 외로워서, 말동무나 하려고 캐슬린을 계속 붙들어두고 있었어요. (다시금 수줍음 많은 수녀원 여학생 같은 모습으로 돌아가서) 당신, 내가 캐슬린한테 무슨 얘기 해줬는 줄 알아요? 아버지가 날 분장실로 데려가서, 당신과 사랑에 빠지게 되던 날 밤 얘기를 들려줬어요. 당신 기억나죠?

티론 (깊이 감동받아서, 쉰 목소리로) 그럼, 내가 그걸 어떻게 잊어? (에드먼드가 슬프고 당황스러운 얼굴로 이들을 외면한다.)

메리 (부드럽게) 그렇죠? 무슨 일이 있어도 당신이 아직 날 사랑한다는 거 알아요.

티론 (얼굴을 씰룩이며 눈물을 흘리지 않으려고 눈을 꿈뻑이다가, 차분하면서도 격렬하게) 그럼! 그건 분명한 진실이야! 언제나, 영원히 당신을 사랑해!

메리 나도 무슨 일이 있어도, 당신을 사랑할 거예요. (잠시 사이. 그사이에 에드먼드는 당황해서 움직인다. 메리가 다시 그 기묘하고 초연한 태도로, 아주 멀리서 본 사람들에 대해 아무 감정 없이 이야기하듯 말한다.) 여보, 당신을 사랑할 수밖에 없었지만, 고백해야겠어요. 당신이 술을 그렇게 많이 마시는 줄 알았다면, 결혼하지 않았을 거예요. 당신 친구들이 처음으로 우리 호텔까지 당신을 데려다

놓곤, 내가 문을 열기도 전에 노크만 하고 사라졌던 날이 기억나네요. 우린 아직 신혼이었어요. 당신 기억나죠?

티론 (죄책감으로 격하게) 아니, 안 나! 신혼 아니었어! 그리고 난 평생 다른 사람 도움받으며 침대에 든 적 없어! 공연을 펑크 낸 적도 없고!

메리 (티론이 아무 말도 하지 않은 것처럼) 난 그 지저분한 호텔방에서 몇 시간이고 기다렸죠. 무슨 이유가 있겠지, 그러면서요. 극장 일 때문일 거라고 스스로를 다독이기도 했어요. 극장 일은 거의 아는 게 없었으니까. 그러다간 겁에 질리기도 했지요. 온갖 끔찍한 사고들이 떠올랐으니까. 그래서 무릎 꿇고, 당신한테 아무 일 없게 해달라고 기도했어요. 그런데 친구들이 당신을 문밖에다 부축해놓고 간 거예요. (작게 슬픈 한숨을 내쉰다.) 앞으로 그런 일이 얼마나 많을지, 그땐 몰랐어요. 그 지저분한 호텔방에서 몇 번이나 더 기다려야 할지. 하지만 그런 것도 나중엔 이골이 나더라고요.

에드먼드 (비난과 증오에 찬 얼굴로 아버지에게 퍼붓는다.) 세상에! 그랬으니……! (자제하고, 퉁명스럽게) 어머니, 저녁은 언제 먹어요? 시간 다 된 것 같은데.

티론 (수치심에 짓눌려, 이를 감추려고 자신의 손목시계를 더듬어 찾는다.) 맞아. 몇 시나 됐나. 한번 볼까. (보지도 않으면서 시계에 시선을 고정하고 있다가, 애원조로) 여보! 잊어버릴 순 없어……?

메리 (연민을 느끼며 초연히) 아뇨. 하지만 용서는 하죠. 난 항상 당신을 용서하잖아요. 그러니까 그렇게 미안한 얼굴 하지 말아요. 그런 일 들춰내서 미안해요. 난 슬퍼지고 싶지도 않고, 당신을 슬프게 만들고 싶지도 않아요. 행복했던 일들만 기억하고 싶지. (다시 수줍음 많고 명랑한 수녀원 학생 같은 태도로) 여보, 우리 결혼식 기억나요? 내 웨딩드레스가 어떻게 생겼었는지 까맣게 잊어버렸죠? 남자들은 그런 덴 관심 없잖아요. 그런 건 중요하지 않다고 생각하죠. 하지만 나한텐 중요해요! 내가 얼마나 안달복달 걱정했는지! 진짜 신나고 행복했었어! 아버진 비용 같은 거 신경 쓰지 말고, 원하는 거는 뭐든 사라고 그랬어요. 최고로 좋은 것도 나한테는 부족하다면서요. 날 너무 응석받이로 키운 거죠. 하지만 어머닌 달랐어요. 신앙심이 아주 깊고 엄격했죠. 나한테 약간 질투를 느끼신 것 같아요. 어머닌 내 결혼에 찬성하지 않았어요. 배우는 더더욱 안 된다고 말렸죠. 내가 수녀가 되기를 바랐던 것 같아요. 그래서 어머닌 아버지를 나무라며 투덜거리곤 했어요. "내가 뭘 살 때는 돈 생각 말라는 말, 한 번도 한 적 없잖아요! 저 애를 저렇게 망가뜨린 건 당신이야. 결혼한다고 해도, 저 애 남편이 걱정이에요. 남편한테 달이라도 따다 달라고 할 텐데. 좋은 아내가 되기는 글렀어." (애정 어린 웃음을 지으며) 가엾은 어머니! (이상하게 안 어울리는 교태를 부리며, 티론을 향해 웃는다.) 하지만 어머니 말은 틀렸어요. 안 그래요, 여보? 내가 그렇게 형편없는 아내는 아니었잖아요. 그렇죠?

티론 (억지로 웃으려 애쓰며, 쉰 목소리로) 여보, 난 당신한테 불만

없어.

메리 (자책감의 그림자가 희미하게 그녀의 얼굴을 스친다.) 적어도 난 당신을 열렬히 사랑했고, 그 상황에서 최선을 다했어요. (자책감의 그림자는 사라지고, 수줍은 소녀 같은 표정이 돌아온다.) 그 웨딩드레스 때문에 나나 옷 만든 사람이나 애깨나 먹었죠! (웃는다.) 내가 너무 까탈스럽게 굴었거든요. 도대체가 맘에 들질 않는 거예요. 결국은 디자이너가 더는 손을 못 대겠다고, 그러면 옷이 망가질 거라더군요. 그래서 전 그녀를 보내고 나서, 혼자 거울을 보며 내 모습을 관찰했죠. 너무 맘에 들었고, 자만심이 생겼어요. "코랑 입, 귀가 약간 크지만, 눈하고 머리, 몸매, 손이 보완해주고 있어. 그이가 만난 여배우들 못지않게 예쁘니까, 화장할 필요도 없어." 이렇게 생각했다니까요. (사이. 이마에 주름을 잡고 기억해내려 애쓴다.) 그런데 내 웨딩드레스 지금 어딨지? 티슈 페이퍼에 싸서 트렁크 안에 넣어두었는데. 난 늘 딸이 있었으면 했어요. 딸이 결혼할 때, 내 것보다 더 멋진 드레스는 살 수 없을 테니까. 그리고 당신은 딸한테 돈 걱정 말라는 말은 절대 할 사람이 아니니까. 당신은 아마 무조건 싸구려로 하길 바랄 거예요. 내 웨딩드레스는 보드랍고 반짝거리는 공단 천에, 목과 소매에 레이스로 작게 주름장식을 달고, 치마 뒷부분이 불룩해 보이게 접힌 부분에도 주름을 넣었죠. 조끼는 빳빳하게 심을 넣고 몸에 꼭 끼게 만들었고요. 가봉할 때 허리를 최대한 가늘게 하려고 숨을 참았던 기억이 나요. 아버지는 하얀 공단 슬리퍼에도 레이스를 달고, 면사포에는 오렌지 꽃무늬 레이스를 장식하라고 했죠. 오, 그 드레스 정말 맘에 들었는데! 정말이지 아름다웠어요! 그런데 지금 어디 있는 거지? 쓸쓸할 때마다 가끔씩 꺼내보곤 했는데. 하지만 그것만 보면 눈물이 나서, 오래전에……. (다시 이마에 주름을 잡고) 내 그걸 어디다 숨겼더라? 아마 낡은 트렁크 안에 넣어서 다락에 뒀을 거야. 언젠가 열어봐야지. (말을 멈추고 정면을 응시한다. 티론은 절망적으로 머리를 흔들며 한숨을 내쉰다. 공감을 얻어내려는 듯 아들과 눈을 마주치려 하지만, 에드먼드는 바닥만 쳐다본다.)

티론 (애써 심상한 어조로) 여보, 저녁 시간 안 됐나? (힘없이 놀리듯) 나한테 늦는다고 만날 뭐라 그러더니, 내가 제때 오니까 이젠 저녁이 늦네. (하지만 그녀는 그의 말에 귀 기울이는 것 같지 않다. 그래도 그는 유쾌하게 덧붙인다.) 준비가 아직 덜 됐으면, 술이나 마셔야지. 술이 있는 걸 깜빡했어. (그가 술을 마시자, 에드먼드가 그를 지켜본다. 티론이 인상을 쓰고는 의심 어린 표정으로 날카롭게 메리를 쏘아 본다. 그러다 거칠게) 누가 내 위스키에 손을 댄 거지? 이놈의 술, 반은 물이잖아! 제이미는 외출 중이었어. 그렇지 않아도, 갠 이 정도로 심하게 장난을 치진 않아. 그럼, 범인은 뻔해. 여보, 대답을 해봐! (분노와 혐오감이 뒤섞인 어조로) 당신 설마, 그것도 모자라 술까지…….

에드먼드 아버지, 그만해요! (어머니를 보지도 않으면서 어머니를 향해) 캐슬린하고 브리지트한테 주신 거죠, 맞죠?

메리 (아무 일도 아니라는 듯 무심하게) 그래. 줄 만해서 준 거야. 쥐꼬리만 한 월급에도 열심히 일하잖니. 그리고 난 안주인이야. 아랫사람들이 나가지 못하게 구슬러야 한다고. 거기다 캐슬린이 나랑 같이 시내에 가서, 약을 타줬어. 그래서 한 잔 준 거야.

에드먼드 세상에, 어머니! 그 앨 믿으면 어떡해요! 세상 사람들한테 다 알리고 싶으신 거예요?

메리 (얼굴이 고집스럽게 굳어진다.) 알리긴 뭘? 내가 손 관절염 때문에 진통제 먹는 거? 그게 뭐 부끄러운 일이라고? (비난과 적의가 서린 딱딱한 얼굴로 에드먼드를 돌아본다. 그러다 복수심에 가까운 적의를 갖고) 네가 태어나기 전엔 관절염이 뭔지도 몰랐어! 아버지한테 물어봐! (에드먼드는 움츠러들면서 외면한다.)

티론 네 엄마 말 신경 쓰지 마라. 아무 의미도 없는 말이야. 손을 갖고 뻔한 변명을 늘어놓는다는 건, 이미 현실에서 한참 멀어졌다는 증거니까.

메리 (티론을 향해서 이상하리만치 의기양양하게 조소를 보내며) 그걸 깨닫다니 다행이군요! 그럼 이젠 과거를 들춰내진 않겠네요? 당신이나 에드먼드나? (갑자기 초연하고 무미건조한 어조로) 여보, 왜 불 안 켜는 거예요? 어두워지고 있잖아요. 당신이 불 켜는 거 싫어한다는 건 알지만, 등 하나는 전기세도 별로 안 나온다고 작은 애가 입증해주었는데. 양로원 갈까 겁나서 그렇게 짜게 구는 건 말이 안 돼요.

티론 (기계적으로 대꾸한다.) 등 하나 켜도 전기세 많이 나온다고 한 적 없어! 여기저기 계속 켜두는 게 문제지. 전기회사만 부자 만들어주는 거니까. (일어나서 독서등을 켜고, 거칠게) 당신한테 이유를 설명하는 내가 바보지. (에드먼드를 향해) 새 위스키 한 병 가져올 테니까, 우리 제대로 한잔 하자. (그는 뒷방으로 사라진다.)

메리 (초연하면서도 재미있다는 듯) 하인들 눈에 안 띄게 몰래 돌아서 바깥 저장실로 갈 거야. 위스키 저장실에 자물쇠 채워두는 걸 정말 창피해하거든. 작은애야, 네 아버진 정말 이상한 사람이야. 아버질 이해하는 데 여러 해가 걸렸어. 너도 아버지를 이해하고 용서하려고 노력해라. 구두쇠라고 흉보지 말고. 네 할아버진 미국으로 이민 오고 일 년쯤 후엔가 할머니랑 자식 여섯을 두고 떠나셨대. 곧 죽을 것 같은 예감이 드는데, 아일랜드가 너무 그리우니, 거기 가서 죽겠다는 말만 남기고 말이야. 그러곤 진짜로 아일랜드에 가서 돌아가셨대. 네 할아버지도 이상한 분이었던 모양이야. 그 바람에 네 아버진 열 살밖에 안 됐을 때부터 기계공장에서 일을 해야 했어.

에드먼드 (힘없이 반발한다.) 제발, 어머니. 그 기계 공장 얘기는 아버지한테 수도 없이 들었어요.

메리 그래, 그렇지만, 이해하려고 노력해본 적은 없잖아.

에드먼드 (이 말을 무시하며 비참하게) 어머니! 아직 정신이 좀 있는 것 같은데, 까맣게 잊으셨나 봐요. 오늘 오후에 무슨 소식을 들었는지 묻지도 않는 걸 보니. 관심도 없으세요?

메리 (동요하며) 그렇게 말하지 마! 마음 아프니까!

에드먼드 제 병이 심각하대요, 어머니. 의사 말이 이젠 확실하대요.

메리 (경멸스럽다는 듯, 방어적이며 고집 센 태도로 딱딱하게 굳어서) 그 늙은 거짓말쟁이 사기꾼! 그가 다 꾸며낸 거라고 했잖아……!

에드먼드 (애처로울 만큼 끈덕지게) 전문의까지 불러서 검사했는걸요. 그러니까 틀림없을 거예요.

메리 (못 들은 척하고) 의사 선생 얘기는 하지 마! 하디 선생이 날 어떻게 치료했는지 얘기했더니, 요양원 의사가, 뭔가를 제대로 아는 그 의사가 그러더라. 그런 작자는 감옥에 처넣어야 한다고! 내가 안 미친 게 신기하다고! 그래서 한 번 미친 적이 있다고 그랬지. 밤중에 잠옷바람으로 바다에 빠져 죽으려고 집을 뛰쳐나간 적이 있다고 말이야. 너도 기억나지? 그런데 그 작자 말에 귀를 기울이라고? 싫다, 싫어!

에드먼드 (신랄하게) 당연히 기억나죠. 아버지하고 형이 더는 저한테 숨기지 않기로 결정한 직후였어요. 형 말에 전 거짓말쟁이라고 소리쳤죠. 코를 한 방 후려치고 싶었지만, 형 말이 거짓이 아니란 걸 알았어요. (목소리가 떨리면서 눈에 눈물이 고이기 시작한다.) 제길, 그 뒤로 세상이 전부 우울해 보였어요!

메리 (가련하게) 그러지 마라, 내 새끼! 가슴이 찢어지잖니!

에드먼드 (힘없이) 죄송해요, 어머니. 하지만 이렇게 만든 건 어머니예요. (그러곤 신랄하고 고집스럽고 완강하게) 잘 들으세요, 어머니. 어머니가 듣기 싫든 말든, 전 해야겠어요. 저 요양원으로 갈 겁니다.

메리 (자신에게 일어난 일이 아닌 양 멍하게) 가버린다고? (격렬하게)

안 돼! 보낼 수 없어! 감히 나한테 상의도 없이, 하디 선생이 그런 조언을 하다니! 네 아버지도 그래. 어떻게 그런 얘기를 하게 내버려두니? 그리고 아버지한테 무슨 권리가 있어! 넌 내 자식이야! 니 아빈 큰애한테나 신경 쓰라고 해! (점점 더 흥분하고 증오에 차서) 아버지가 왜 널 요양원에 보내려는지 알아. 나한테서 떼놓으려는 거야! 언제나 그러려고 했어. 자식들을 죄다 질투했으니까! 그래서 계속 날 자식들한테서 떼놓을 방법을 찾고 있었던 거야. 유진이 죽은 것도 그래서고. 하지만 아버지가 가장 질투하는 사람은 너야. 내가 널 누구보다도 사랑한다는 걸 아니까…….

에드먼드 (비참하게) 오, 그런 말도 안 되는 소리 좀 그만둘 수 없어요? 아버지 탓 좀 그만하시라고요. 그리고 이제 와서 제가 떠나는 걸 반대하는 이유가 뭐죠? 전 언제나 떠나 있는 시간이 많았는데, 그렇게 마음 아파하지도 않았잖아요!

메리 (신랄하게) 너도 그렇게 섬세하진 못하구나. (슬프게) 하지만 너도 짐작은 했을 거야. 네가 안다는 걸 깨달은 뒤로는, 네 얼굴을 볼 수 없는 곳으로 떠날 때마다, 난 오히려 마음이 놓였다는 걸 말이야.

에드먼드 (울먹이며) 어머니! 그만하세요! (무턱대고 손을 내밀어 어머니의 손을 잡는다. 그러나 곧 다시 증오심에 짓눌려 손을 놓아버린다.) 그렇게 절 사랑한다면서……. 내가 얼마나 아픈지 얘기하려고 할 때는 들으려고도 않고…….

메리 (갑자기 초연하고 엄한 어머니처럼 돌변해서) 자, 자. 그만 됐어! 듣기 싫다. 하디 선생이 무식한 거짓말을 한 것뿐이야. (에드먼드는 자기 안으로 움츠러든다. 메리는 부자연스럽게 놀리는 투로 말을 계속하면서도, 속으로는 점점 화가 치민다.) 꼭 니 아비 같구나. 그럴싸하게 비극적으로 보이려고, 아무것도 아닌 일로 호들갑을 떠는 게. (경멸하듯 웃으며) 내가 조금이라도 맞장구를 쳐주면, 다음엔 죽어버리겠다고 할걸…….

에드먼드 정말로 죽을 수도 있는 병이에요. 외할아버지도…….

메리 (날카롭게) 외할아버지 얘긴 왜 꺼내는 거야? 너랑은 전혀 달랐는데. 외할아버지는 폐결핵이었어. (화가 나서) 그렇게 어둡고 침울한 꼴 보기 싫어! 외할아버지 죽음은 들춰내지 마, 알아들어?

에드먼드 (굳은 얼굴로 매섭게) 네, 듣고 있어요. 차라리 못 듣는 게 낫겠지만! (의자에서 일어나 비난하듯 어머니를 쳐다보며, 신랄하게) 가끔은 엄마가 약쟁이인 게 정말 힘들어요. (그녀가 멈칫한다. 기운이 다 빠진 듯, 얼굴이 석고상 같다. 순간 에드먼드는 말을 주워 담고 싶은 심정으로 비참하게 더듬거린다.) 용서하세요, 어머니. 화가 나서 그런 거예요. 어머니 때문에 마음이 아파서. (사이. 무적과 배의 종소리가 들려온다.)

메리 (자동인형처럼 천천히 오른편 창가로 가서 밖을 내다본다. 공허하고 아득한 목소리로) 저 끔찍한 무적 소리 좀 들어봐. 종소리도. 안개만 끼면, 왜 소리들이 전부 이렇게 구슬프고 공허하게 들리는 걸까?

에드먼드 (울먹이며) 도-도저히, 여기 더 못 있겠어요. 저녁 생각도 없고요. (응접실로 황급히 사라진다. 메리는 에드먼드가 나가고 응접실 문이 닫히는 소리가 들릴 때까지 계속 창밖을 내다본다. 그러다 여전히 공허한 표정으로 돌아와 의자에 앉는다.)

메리 (멍하게) 위층으로 가야겠어. 약 기운이 떨어진 것 같아. (사이를 두었다가, 간절하게) 가끔은 차라리 실수로 약을 과다복용해 버렸으면 좋겠어. 일부러는 절대 못 그러니까. 그러면 성모 마리아 님이 용서하지 않을 테니까. (티론이 돌아오는 소리를 듣고 고개를 돌린다. 티론은 방금 딴 위스키 병을 들고, 화가 나 씩씩대며 뒷방을 통해 들어온다.)

티론 (노기등등해서) 자물쇠에 생채기투성이야. 그 주정뱅이 건달 녀석이 전처럼 철사로 자물쇠를 따려고 했었나 봐. (큰아들과의 끊임없는 머리싸움에서 이겼다는 듯 의기양양하게) 하지만 이번엔 내가 좀 골려줬지. 전문털이범도 딸 수 없는 특수자물쇠를 채워놓았거든. (병을 쟁반에 놓는 순간, 에드먼드가 없어진 걸 알고) 작은앤 어디 갔지?

메리 (딴세상에 있는 것처럼 몽롱하게) 나갔어요. 형 찾으러 다시 시내에 갔을 거예요. 아직 돈이 조금 남았나 본데, 곧 없어질걸요. 저녁은 생각 없대요. 요즘엔 통 식욕이 없는 것 같아. (그러다간 완강하게) 여름 감기 때문일 뿐이에요. (티론은 그녀를 바라보며 절망적으로 고개를 젓다가 술을 한 잔 따라 마신다. 그러자 더는 못 견디겠다는 듯 메리가 갑자기 울음을 터뜨리고 흐느낀다.) 여보. 너무 무서워요! (자리에서 일어나 티론을 끌어안고는 그의 어깨에 얼굴을 묻고 흐느낀다.) 갠 죽을 거예요!

티론 그런 소리 마! 사실이 아냐! 여섯 달만 있으면 치료될 거라고 했어.

메리 당신도 그 말 안 믿잖아요! 당신 하는 거 보면 다 알아요! 다 내 잘못이죠. 개를 낳지 말았어야 했는데. 걔한텐 그게 더 나았을지도 몰라요. 상처도 안 받고, 엄마가 마약중독자라는 걸 알고 미워하는 일도 없었을 테니까!

티론 (떨리는 목소리로) 여보, 제발, 쉿! 갠 당신을 사랑해. 당신 의지하곤 상관없이, 당신도 모르는 사이에 내려진 저주라는 것도 알아. 당신이 엄마인 걸 자랑스러워한다고! (부엌문이 열리는 소리에 황급히) 쉿, 그만! 캐슬린이 와. 우는 거 들키기 싫잖아. (메리는 얼른 그에게서 떨어져 오른편 창가로 가 황급히 눈물을 닦는다. 뒤이어 캐슬린이 뒷방 문간에 모습을 드러낸다. 불안정한 걸음걸이에 바보처럼 실실 웃고 있다.)

캐슬린 (티론을 보고 죄책감에 움찔한다. 그러다 예의를 갖춰) 주인님, 저녁 준비 됐습니다. (불필요하게 목소리를 높여) 마님, 저녁 준비 됐어요. (그러곤 주책없이 티론을 향해서 사근사근 친근하게) 어머, 오셨네요? 어머, 어머. 브리지트 화 안 내겠네! 마님 말씀이 주인님은 안 오신다더라고 브리지트한테 말했었거든요. (그러다 티론의 눈에서 책망하는 기색을 읽고) 그렇게 보지 마세요. 제가 한잔한 건 맞지만, 훔쳐 먹은 건 아녜요. 권해서 마신 거죠. (그러곤 샐쭉해서 뻣뻣하게 뒷방을 통해 사라진다.)

티론 (한숨을 쉬고는, 배우답게 열정적인 태도를 가장해서) 갑시다, 여보. 저녁 먹읍시다. 배고파 미치겠어.

메리 (그에게로 다가온다. 메리의 얼굴은 다시 석고상처럼 차갑고, 목소리도 초연하다.) 미안하지만 여보, 당신이 좀 봐줘야겠어요. 난 아무것도 못 먹겠어요. 손이 너무 아파요. 누워 쉬는 게 상책이겠어요. 잘 자요, 여보. (메리는 그에게 기계적으로 키스를 하고 응접실로 몸을 돌린다.)

티론 (거칠게) 그 망할 놈의 약 또 하려고? 새벽도 되기 전에 미친 유령처럼 되고 말겠군!

메리 (걸음을 떼다가, 공허하게) 무슨 말인지 모르겠네요. 흠뻑 취하면 만날 그렇게 상스럽고 가혹한 말을 하죠. 애들만큼 당신도 못됐어요. (메리는 응접실로 사라진다. 그는 어떻게 해야 할지 모르겠다는 듯 잠시 그대로 서 있는다. 슬프고 당황하고 낙담한 늙은이의 모습이다. 그는 식당을 향해 뒷방으로 무겁게 걸음을 옮긴다.)

막

4막

무대

같은 장소. 자정 무렵이다. 현관등이 꺼져 있어서 응접실을 통해 들어오는 빛도 없다. 거실에는 탁자 위 독서등만 켜져 있다. 창밖의 안개 장막은 전보다 더욱 짙어진 것 같다. 막이 오르면 무적 소리가 들리고, 이어 항구에 정박 중인 배들에서도 종소리가 울려 퍼진다.

티론은 탁자에 앉아 있다. 코안경을 걸치고 혼자서 카드놀이를 하는 중이다. 이제는 코트를 벗고, 낡은 갈색 가운을 걸치고 있다. 쟁반 위 위스키 병은 3/4이나 비어 있다. 하지만 그가 지하 저장고에서 가져온 새 술병이 탁자 위에 있기 때문에, 즉시 마실 수 있는 여유분은 충분하다. 눈을 올빼미처럼 뜨고 카드들을 찬찬히 하나하나 살피다가, 목적이 뭔지도 모르는 사람처럼 카드를 두는 모습에서 그가 술이 취했음을 알 수 있다. 눈은 흐리멍덩하면서도 번들거리고, 입은 헤벌어져 있다. 하지만 위스키를 그렇게 마셔대고도 아직 정신은 말짱하다. 그래도 앞 장 끝부분에서처럼 절망과 체념에 사로잡힌 처량하고 무기력한 늙은이처럼 보인다.

막이 오르면, 그는 게임을 끝내고 카드들을 한데 모은다. 그러곤 카드 몇 장을 바닥에 흘리며 서툴게 카드들을 섞는다. 힘들게 다시 카드를 주워 섞는데, 누군가 현관문으로 들어오는 소리가 들린다. 그는 코안경

너머로 응접실을 살펴본다.

티론 (탁한 목소리로) 누구야? 작은애냐? ("예" 하고 에드먼드가 무뚝뚝하게 대답하는 소리가 들린다. 그러곤 어두운 현관에서 무언가에 부딪힌 듯, 욕을 퍼붓는 소리가 이어진다. 곧이어 현관등이 켜진다. 티론이 인상을 쓰며 소리친다.) 들어오기 전에 불 꺼라. (하지만 에드먼드는 불을 안 끄고 그냥 응접실을 통해 들어온다. 이제는 에드먼드도 취한 모습이지만, 아버지처럼 술을 잘 이겨내고 있다. 시비를 거는 것 같은 공격적인 태도와 눈 말고는 취한 티가 거의 안 난다. 티론은 일단 안도하며 따뜻하게 맞는다.) 잘 왔다. 너무 적적했는데. (그러곤 화가 나서) 다 알면서 내빼? 밤새 아비만 덜렁 여기 내버려두고? 자알 한다……. (날카롭게 곤두서서) 불 끄라고 했지! 지금 무도회라도 여는 줄 알아? 이런 밤중에 뭣 하러 전깃불 환하게 밝혀서 돈을 태워버려!

에드먼드 (발끈해서) 환하게 밝힌다고요? 전구 하나로요? 젠장, 자기 전엔 누구나 현관에 불 하나쯤 켜둬요. (무릎을 문지르며) 모자걸이에 부딪혀서 깨질 뻔했잖아요.

티론 거실 불빛으로 현관도 환해. 정신만 말짱해봐, 왜 안 보여.

에드먼드 정신만 말짱하면요? 정신 말짱해요!

티론 난 다른 사람 이목 신경 안 써. 바보처럼 체면 차리려고 돈 펑펑 써대고 싶은 사람이나 그러라고 해!

에드먼드 등 하나 갖고요? 제발, 그렇게 치사하게 좀 굴지 마세요.

등 하나쯤 밤새 켜둬도, 술 한잔 값도 안 나와요. 수치로 증명해 드렸잖아요.

티론 수치 같은 말 하고 있네! 고지서 속에 증거가 다 있어!

에드먼드 (아버지 맞은편에 앉으며 경멸조로) 그래요, 사실 같은 건 아무 의미도 없죠, 안 그래요? 아버지가 믿고 싶은 것, 그것만 진실이니까! (조롱 섞인 어조로) 셰익스피어도 아일랜드계 가톨릭 신자였어요, 그렇죠?

티론 (고집스럽게) 그래, 그렇지. 작품 속에 증거가 다 있잖아.

에드먼드 글쎄요, 아니죠. 작품 속에 증거 같은 건 없어요. 아버지만 그렇게 생각하는 겁니다! (놀리듯) 웰링턴 공작, 그 사람도 훌륭한 아일랜드계 가톨릭 신자였죠, 아마?

티론 훌륭하다고는 안 했다. 그는 배교자背教者였어. 그래도 가톨릭 신자였던 건 사실이지.

에드먼드 아뇨, 아니었어요. 아버진 그냥 아일랜드계 가톨릭 신자 말고는 누구도 나폴레옹을 이길 수 없었다고 믿고 싶을 뿐이에요.

티론 너랑 입씨름할 생각 없다. 현관등 끄라고 했다.

에드먼드 들었어요. 그래도 전 그냥 켜둘래요.

티론 건방지게! 말 들을 거야? 말 거야?

에드먼드 안 듣는다니까요! 미치광이 노랭이 같은 사람이 되고 싶으면, 직접 끄세요!

티론 (협박하듯 화를 내며) 말 들어! 네가 가끔 미친 짓을 해도, 많이 참았어. 네가 제정신이 아니라고 생각했으니까. 널 용서하고 손 한번 안 댔지. 하지만 참는 데도 한도가 있는 법이야. 그러니 말 듣고 불 꺼. 안 그럼, 아무리 컸어도 매로 가르칠……. (순간 에드먼드가 아프다는 사실을 상기하고, 죄책감과 부끄러움을 느낀다.) 용서해라. 깜빡 잊었어. 그러게 성질을 돋우지 말았어야지.

에드먼드 (역시 부끄러워서) 잊어버리세요, 아버지. 저도 잘못했어요. 자격도 없으면서 아무것도 아닌 일로 버릇없이 굴다니. 좀 취했던 것 같아요. 저 화근 덩어리, 당장 끌게요. (일어서려고 한다.)

티론 아냐, 그냥 있어. 켜두지 뭐. (그러곤 갑자기 약간 비틀거리며 일어나, 어린애처럼 아주 극적인 자기 연민에 취해서 샹들리에 전구 세 개를 켜기 시작한다.) 모조리 켜두자고! 환하게! 까짓, 뭐 어때! 결국은 양로원 행일 텐데, 늦게 가나 빨리 가나! (전구 세 개를 다 켰다.)

에드먼드 (이 광경에 유머감각이 되살아나, 씩 웃으며 애정을 갖고 놀린다.) 멋진 마무린데요. (웃으며) 정말 대단하세요.

티론 (쑥스러워하며 앉아선 애처롭게 투덜댄다.) 그래, 이 늙은 광대를 비웃어! 늙고 불쌍한 삼류배우! 하지만 마지막 막은 역시 양로원에서 내려질 거고, 그건 희극이 아냐! (그래도 에드먼드가 계속 히죽거리자, 화제를 바꾼다.) 자, 자, 입씨름은 그만하자. 네가 아무리 부정하려고 해도, 넌 머리가 좋아. 돈의 가치를 깨달을 거란 말이지. 건달 같은 형하곤 다르니까. 걘 정신 차리긴 다 글렀어. 근데, 그 녀석은 어디 있는 거니?

에드먼드 제가 어떻게 알아요?

티론 걜 만나려고 다시 시내에 간 거 아니었어?

에드먼드 아뇨. 해변으로 산책 갔었어요. 오후부터 못 봤는걸요.

티론 음, 내가 준 돈을 바보같이 형하고 갈랐으면…….

에드먼드 그럼요. 당연히 그랬죠. 형도 뭐든 생길 때마다 저한테 주거든요.

티론 그럼, 보나마나 창녀집에 있겠구나.

에드먼드 그럼 안 되나요? 뭐가 문제죠?

티론 (경멸조로) 하기야, 안 될 거 없지. 걔한테 딱 맞는 곳이니까. 술하고 여자만 밝히지, 고상한 꿈은 한 번도 꾼 적 없는 녀석이잖아.

에드먼드 아버지, 제발! 또 그런 말 하실 거면, 전 그만 꺼져버릴래요. (일어서려 한다.)

티론 (달래듯) 알았다, 알았어. 그만할게. 나도 그런 얘기 안 좋아해. 같이 한잔 할래?

에드먼드 와우! 이제야 얘기가 좀 통하는 것 같네요!

티론 (술병을 건네고, 기계적으로) 너한테 술 먹이면 안 되는데. 이미 충분히 마셨고 말이야.

에드먼드 (한 잔 가득 따르며, 약간 취해서) 충분히 배가 부르면 진수성찬을 먹은 것이나 다름 있다.[6] (술병을 돌려준다.)

티론 네 몸에는 무리야.

---

6 '충분히 배부르면 진수성찬을 먹은 것이나 다름없다'는 속담의 패러디.

에드먼드 제 몸 걱정은 잊어버리세요! (술잔을 든다.) 자, 건배!

티론 쭉 들이켜. (둘은 술을 마신다.) 바닷가까지 산책을 나갔었다니, 몸이 축축하고 으스스하겠구나.

에드먼드 오며 가며 술집에도 들렀어요.

티론 오래 산책하기엔 좋은 밤이 아냐.

에드먼드 전 안개를 좋아하잖아요. 안개가 필요했어요. (혀도 더 꼬부라지고, 얼굴도 더 불쾌해진다.)

티론 위험을 피하는 분별력은 있어야지…….

에드먼드 분별력은 무슨! 전부 미쳤는데. 분별력 있어서 뭐 하게요? (냉소적으로 다우슨의 시 〈길지 않으리〉를 낭송한다.)

길지 않으리, 울음과 웃음,
사랑과 절망, 증오,
우리 죽음의 문턱 지나면
우리 안에 아무것도 남지 않으리니.

길지 않으리, 포도주와 장미의 나날들,
몽롱한 꿈속에서
우리 길 잠시 나타났다
꿈속에서 다시 닫히리니.

(앞면을 응시하며) 안개 속에 있고 싶었어요. 길을 반밖에 안내

려갔는데도, 이 집이 안 보였어요. 집이 여기에 있는지도 모르게 됐죠. 동네 다른 곳들도 마찬가지였고요. 몇 피트 앞밖에 안 보였어요. 사람도 하나 안 보였고요. 모든 게 초현실적으로 보이더라고요. 실제 그대로인 건 아무것도 없었어요. 바로 제가 원했던 거죠. 다른 세계, 사실이 사실이 아니고 삶이 스스로에게서 숨을 수 있는 곳, 그런 세계에 혼자 있는 것. 저기 항구 너머, 해안 따라 길이 뻗어 있는 곳에선 땅 위에 서 있다는 느낌마저 사라졌어요. 안개와 바다가 서로의 일부를 이루고 있는 것 같았거든요. 그래서인지 바다 밑을 걷는 것 같은 느낌이 들었어요. 물속에 오래전 빠져버린 것 같은. 전 안개가 된 유령이고, 안개는 바다의 유령 같았어요. 그렇게 유령 속의 유령이 돼 있으니까, 죽여주게 편안하던데요. (티론이 걱정과 짜증, 비난이 섞인 표정으로 자신을 쳐다보는 것을 알아차리고, 에드먼드가 조롱하듯 씩 웃는다.) 미친놈 보듯 하지 마세요. 맞는 말이잖아요. 피할 수 있는데, 삶을 있는 그대로 보고 싶은 사람이 어디 있겠어요? 인생은 고르곤[7] 셋을 하나로 합쳐놓은 것 같아요. 그들의 얼굴을 들여다보면, 돌로 변해버리죠. 아니면 판[8]이거나. 판을 보면 죽어……그러니까 영혼이요……. 유령으로 계속 살아가야 돼요.

---

7 그리스 신화에 나오는 괴물 세 자매로 뱀 모양 머리카락에 멧돼지의 몸통과 청동으로 된 손을 가진 추한 몰골을 하고 있다.

8 그리스 신화에 나오는 목신으로, 춤과 음악을 좋아하는 한편 인간에게 악몽을 불어넣기도 한다고 여겨진다.

티론 (감동을 받으면서도 반감이 생겨서) 너한텐 시인 기질이 있어. 하지만 병든 시인이지! (억지웃음을 지으며) 그런 염세주의는 집어치워. 안 그래도 우울하니까. (한숨을 쉰다.) 셰익스피어나 기억하고, 그런 삼류 나부랭이는 잊는 게 어때. 셰익스피어를 읽으면, 네가 말하려는 걸 찾을 수 있을 거야. 다른 근사한 말들을 찾을 수 있을 거라고. (멋진 목소리로 인용한다.) "우리의 하찮은 인생도 처음부터 끝까지 잠과 같다네."[9]

에드먼드 (빈정거리듯) 좋네요! 아름다워요. 하지만 전 그런 말을 하고 싶은 게 아녜요. 인간은 똥 같은 존재, 그러니 실컷 마시고 잊어버리자. 이런 게 더 제 생각에 가깝죠.

티론 (혐오스럽다는 듯) 아이고! 그런 감상적인 생각은 너 혼자나 해. 너한테 술을 주는 게 아니었는데.

에드먼드 이 술 정말 잘 받는데요. 아버지한테도 그렇고. (애정을 갖고 놀리듯 히죽거린다.) 공연은 한 번도 빼먹은 적 없어도! (공격적으로) 근데 취하는 게 뭐가 나쁘죠? 취하려고 마시는 거 아닌가? 아버지, 서로 속이지 말자고요. 오늘 밤만은요. 잊고 싶은 게 뭔지 잘 알잖아요. (황급히) 그 얘긴 말죠. 이젠 소용없으니까.

티론 (멍하게) 그래. 체념하려고 애쓰는 것밖에, 할 수 있는 게 없으니까. 또다시.

에드먼드 아님, 잊기 위해 취하든가요. (시몬즈가 번역한 보들레르의

---

9 셰익스피어의 《템페스트》 4막 1장에 나온다.

산문시 〈취하라〉를 냉소적인 열정을 담아 비통하고 멋지게 읊는다.)

언제나 취해 있으라. 다른 건 중요치 않다. 중요한 건 그것뿐. 시간의 무게가 어깨를 아프게 짓눌러 땅바닥에 짓뭉개지는 것 같은 느낌을 받고 싶지 않다면, 취해 있으라 계속.

무엇에 취하냐고? 포도주에, 시에, 미덕에, 그대가 원하는 대로. 그저 취해 있으라.

그리고 이따금, 궁전의 계단이나 도랑가 풀밭 위에서, 그대 방안의 쓸쓸한 고독 속에서, 깨어나 취기가 반쯤 혹은 전부 가시면, 바람에게 파도에게 별에게 새에게 시계에게, 무엇이든 날아다니거나 한숨짓거나 흔들리거나 노래하거나 말하는 것들에게 물어보라, 지금이 무얼 할 시간인지. 그러면 바람에 파도, 별, 새, 시계 그대에게 답하리니. '지금은 취할 시간이다! 고통받는 시간의 노예가 되고 싶지 않다면, 취해 있으라. 계속 취해 있으라! 술에, 시에, 미덕에, 그대 원하는 대로.'

(아버지를 향해서 도발적으로 씨익 웃는다.)

티론 (한껏 익살스럽게) 내가 너라면, 미덕에 취하는 건 걱정 안 할 거야. (그러곤 넌더리를 내며) 체! 완전 헛소리네! 그 시에 진리가 있는지 모르겠다만, 셰익스피어 대사 속에 고상하게 다 표현되어 있어. (그러곤 인정한다는 듯) 그래도 낭송은 훌륭하네. 누가 쓴 거니?

에드먼드 보들레르요.

티론 처음 듣는데.

에드먼드 (도발적으로 씩 웃는다.) 제이미 형 같은 사람하고 브로드웨이에 대한 시도 썼는걸요.

티론 그 건달! 막차를 놓쳐서 못 왔으면 좋겠어!

에드먼드 (못 들은 척 말을 계속한다.) 보들레르는 프랑스인에다 브로드웨이도 본 적 없고, 제이미 형이 태어나기도 전에 죽었어요. 하지만 형 같은 사람이나 뉴욕에 대해서 잘 알고 있었죠. (그러곤 시몬즈가 번역한 보들레르의 〈에필로그〉를 읊는다.)

고요한 마음으로 가파른 성 꼭대기에 올라
탑에서 바라보듯 도시를 본다,
병원과 여관과 감옥 같은 지옥들을,

악이 꽃처럼 소리 없이 피어나는 곳.
오 사탄이여, 내 고통의 수호자여, 그대는 알지니
헛된 눈물을 위해 내가 그 시각에 오른 것이 아님을,

늙고 슬프고 충실한 호색한처럼
그 거대한 매춘부에게서 기꺼이 기쁨을 마시기 위함임을
그 지옥 같은 아름다움이 나를 다시 젊게 만들어줄 것이므로.

그대 짙은 안개 속에서 자고 있거나
햇살에 멍하니 있거나
새옷 갈아입고 아름다운 저녁의 금빛 레이스 베일 속에 서 있거나

나 그대를, 치욕스런 도시를 사랑하나니!
창녀들과 쫓기는 자들도 그들 나름의 쾌락을 줄 수 있거늘,
속된 무리는 결코 이해 못하네.

티론 (짜증스럽다는 듯 혐오감을 드러내며) 음울한 쓰레기야! 도대체 문학 취향이 그게 뭐니? 외설에 절망, 염세주의뿐이잖아! 그 작자도 무신론자 같은데. 신을 부정하는 건 희망을 부정하는 거나 마찬가지야. 바로 네 문제지. 네가 무릎을 꿇을 수만 있으면…….

에드먼드 (못 들은 척, 냉소적으로) 형하고 정말 비슷하지 않아요? 자기 자신과 위스키에 쫓기다, 어느 뚱뚱한 창녀랑……형은 뚱뚱한 여자를 좋아하거든요……. 브로드웨이의 호텔방에 숨어서, 창녀한테 다우슨의 〈시나라〉를 읊어주죠. (조롱하듯, 그러나 깊이 감정을 실어서 〈시나라〉를 암송한다.)

밤새 내 가슴 위에서 그녀의 따뜻한 가슴이 뛰는 걸 느꼈다네,
그녀 밤새 내 품에서 사랑과 잠에 취해 누워 있었다네,
돈으로 얻은 붉은 입술의 키스는 정말 달콤했지만,
깨어나 희부옇게 먼동이 터오는 것을 보니

쓸쓸한 게 옛날의 열정이 그리워졌다네.

시나라여! 나는 내 방식대로 그대에게 충실했다네.

(조롱하듯) 촌극에 나오는 것 같은 저 가련하고 뚱뚱한 여자는 시를 한마디도 이해 못하면서, 자신이 모욕당하고 있다고 생각하죠! 그리고 형은 평생 시나라 같은 여자를 사랑해본 적도, 자기만의 방식으로라도 한 여자에게 충실해본 적도 없죠! 그러면서도 거기 누워서, 자신은 우월한 존재라고 스스로를 속이며 '속된 무리는 결코 이해 못한다'는 생각을 즐기는 겁니다! (소리 내 웃으며) 미친 거죠. 완전히 미쳤어요!

티론 (멍하니, 탁한 목소리로) 맞아, 미친 짓이야. 무릎 꿇고 기도하면 좋으련만. 신을 부정하면 온전한 정신도 잃게 되는데.

에드먼드 (못들은 척하고) 그런데 전 누구한테 우월감을 느끼는 걸까요? 저도 똑같은 짓거리를 해왔어요. 그래도 다우슨보다는 나았죠. 그는 압생트[10]를 마시고 숙취 속에서 영감을 얻어서는 멍청한 술집 아가씨한테 시를 써줬어요. 하지만 그 아가씬 그를 얼빠진 가난뱅이 술고래라고 생각했죠. 그래서 그를 차버리고 웨이터랑 결혼했답니다! (소리 내 웃다가, 진심으로 동정하며 진지하게) 불쌍한 다우슨. 술과 폐병에 무너지다니. (움찔하더니 잠시 비참하고 두려운 얼굴을 한다. 그러다 방어적으로 빈정거린다.) 화제를 바꾸

10 쑥으로 만든 독주로, 상습 복용할 경우 환각이나 신경과민 같은 중독증을 일으킨다.

는 게 좋겠네요.

티론 (탁한 목소리로) 어쩌다 그런 작자를 좋아하게 된 거야! 저 망할 놈의 책들! (뒤편의 작은 책장을 가리키며) 볼테르, 루소, 쇼펜하우어, 니체, 입센! 무신론자에 멍청이, 미치광이들뿐이잖아! 네가 좋아한다는 시인들도 그래! 지금 말한 다우슨에 보들레르, 스윈번, 오스카 와일드, 휘트먼, 포! 다들 매춘굴이나 들락거리는 타락한 인간들이야! 쳇! 질 좋은 셰익스피어 전집을 세 질이나 들여놔줬는데.

에드먼드 (도발적으로) 그도 술고래였다던데요.

티론 아냐! 술을 즐긴 건 맞지만, 아냐. 멋진 사나이들은 원래 그런 약점을 갖고 있어. 그래도 그는 주도를 알았어. 그래서 음울하고 음탕한 생각들로 정신을 망가뜨리지는 않았지. 저기 저 작자들하고 셰익스피어는 비교가 안 돼. (다시 그 작은 책장을 가리키며) 저 추잡한 졸라! 마약쟁이 단테 가브리엘 로제티! (죄책감을 느낀 듯 움찔한다.)

에드먼드 (방어적으로 차갑게) 역시 화제를 바꾸는 게 좋을 것 같네요. (사이) 셰익스피어를 모른다고 절 뭐라 하실 순 없어요. 아버진 극단에 있을 때 일주일 만에 주연 대사를 다 외웠다고 하셨죠. 넌 그럴 수 없을 거라면서요. 하지만 내기를 해서 제가 5달러를 땄어요. 제가 아버지 큐에 맞춰 《맥베스》의 대사를 한 글자도 안 틀리고 완벽하게 외웠잖아요.

티론 (맞는 말이라는 듯) 맞아. 그랬지. (놀리듯 웃으며 한숨을 쉰다.)

대사를 너무 엉망으로 해서 들어주기가 정말 괴로웠지. 그만하고 그냥 돈을 줘버리고 싶은 심정이었어. (킬킬거리자 에드먼드도 씨익 웃는다. 그러다 위층에서 나는 소리에 겁에 질려서 움찔한다.) 들었니? 네 엄마가 돌아다니고 있어. 잤으면 했는데.

에드먼드 신경 쓰지 마세요! 한잔 더 하는 거 어때요? (병을 집어 들어 한 잔 따르곤 술병을 아버지에게 돌려준다. 아버지가 술을 따르는 동안 애써 아무렇지도 않은 듯) 엄마가 언제 잠자리에 들었죠?

티론 너 나가고 바로. 저녁도 안 먹었어. 넌 왜 집을 나갔던 거니?

에드먼드 그냥요. (갑자기 술잔을 치켜들고) 자, 드시죠.

티론 (기계적으로) 그래, 쭉 들이켜. (그들은 술을 마신다. 티론이 다시 위층에서 나는 소리를 듣고, 두려움에 젖어) 더 많이 움직이고 있어. 내려오지 말았으면 좋겠는데.

에드먼드 (멍하게) 그러게요. 이 시각이면 유령처럼 과거 속을 헤매고 계실 테니까요. (사이를 두었다가 비참하게) 제가 태어나기도 전으로 돌아가서…….

티론 나한테는 뭐 다른 줄 아니? 날 알기도 전으로 돌아가지. 네 엄마가 행복했던 시절은 외할아버지 집에 살 때나, 수녀원 학교에서 기도하고 피아노 쳤을 때뿐인 것 같아. (그의 씁쓸한 말에는 질투와 분노가 서려 있다.) 전에도 말했지만, 네 엄마가 하는 과거 얘기는 걸러서 들어야 해. 외갓집도 대단했던 것처럼 말하지만, 사실은 아주 평범했어. 외할아버지도 엄마가 말하는 것처럼 대단하고 너그럽고 귀족적인 아일랜드 신사가 아니었어. 물론 좋은 분이기는 했지. 사교성도 좋았고 말솜씨도 뛰어났으니까. 우린 서로 좋아했지. 게다가 능력 있는 분이라, 식료품 도매업으로 돈도 많이 버셨어. 하지만 그분도 단점이 있었단다. 네 엄마는 내가 술 마시는 거는 뭐라 그러면서, 외할아버지가 술 마신 거는 잊어버린 모양이야. 외할아버지가 마흔이 되도록 술 한 방울 입에 안 댄 건 사실이야. 하지만 그 후론 그간 안 마신 것까지 한꺼번에 마셔댔지. 샴페인만 줄창 마셔댔는데, 그거 정말 안 좋은 습관이었어. 샴페인만 마셔대는 걸 대단히 고상한 취미인 양 허세를 부리셨지만 말이야. 음, 그렇게 일찍 돌아가신 것도 그것 때문이야. 샴페인하고 폐병……. (죄책감을 느끼고 아들을 힐긋 보며 말을 멈춘다.)

에드먼드 (냉소적으로) 우울한 화제를 피할 수가 없네요, 안 그래요?

티론 (슬프게 한숨지으며) 그렇구나. (그러곤 안쓰러울 만큼 쾌활해지려 애쓰며) 카지노 게임이나 하는 거 어때?

에드먼드 좋아요.

티론 (카드를 서툴게 뒤섞으며) 어차피 네 형이 막차로 돌아오기 전에는 문 잠그고 못 자. 차라리 안 왔으면 좋겠지만. 엄마가 잠들기 전에는 위층으로 올라가고 싶지도 않고.

에드먼드 저도요.

티론 (돌리는 것도 잊고 카드들을 어설프게 계속 뒤섞으며) 아까도 말했지만, 네 엄마가 하는 과거 얘기는 알아서 걸러 들어야 해. 피아노를 잘 쳐서 피아니스트가 되는 게 꿈이었다는 얘기도 그래. 그건 수녀들이 엄말 치켜세워서 그런 거야. 수녀들이 네 엄말 아주 예뻐했거든. 엄마가 신앙심이 깊었으니까. 하지만 수녀들은 세상사엔 어둡지. 재능이 있어도, 백만 명 중에 하나 피아니스트가 될까 말까 하다는 걸 몰랐어. 물론 엄마가 여학생치고 피아노를 잘 친 건 맞아. 하지만 그렇다고 으레 피아니스트가 될 거라고 생각한다는 건…….

에드먼드 (날카롭게) 게임 할 거면 얼른 돌리시죠.

티론 어? 그래. (거리 감각이 불분명한 상태로 카드들을 돌리며) 그리고 수녀가 되었을지도 모른다는 얘기 말이야. 그 얘긴 정말 아니야. 네 엄만 미인 중에 미인이었어. 엄마도 그걸 알았지. 수줍어 얼굴을 붉히기도 했지만, 속으로는 약간 짓궂은 데다 바람기도 있었고. 세상을 등질 수 있는 여자가 아니었단 말이야. 건강하고 생기발랄한 데다 사랑을 하고 싶어 했지.

에드먼드 제발, 아버지! 카드 안 집으세요?

티론 (카드를 집으며, 멍하게) 그래, 어떻게 들어왔나 볼까? (둘 다 눈은 카드를 보지만 머릿속으로는 다른 생각을 하고 있다. 그러다 둘 다 깜짝 놀란다. 티론이 속삭인다.) 들어봐!

에드먼드 엄마가 내려오고 계세요.

티론 (황급히) 계속 게임 하는 거다. 못 본 척하면, 금방 다시 올라갈 거야.

에드먼드 (응접실 쪽을 보고 안도해서) 엄마가 안 보여요. 내려오다가 다시 올라간 모양이에요.

티론 휴, 다행이다.

에드먼드 그러게요. 지금쯤은 보기도 무서울 만큼 엉망이 돼 있을 테니까요. (더욱 괴롭고 비참하게) 제일 받아들이기 힘든 건 엄마가 보이지 않는 벽에 둘러싸여 있는 거예요. 아니, 안개의 둑 뒤에 숨어서 헤매고 있다는 게 더 맞겠네요. 일부러요. 정말 끔찍해! 엄마 내면의 무언가 때문에 일부러 그러고 있다는 거, 아버지도 아시죠. 우리 손이 안 미치는 곳으로 가서, 우릴 지워버리고, 우리가 살아 있다는 걸 잊어버리고 있어요! 사랑하면서도, 우릴 증오하는 것 같다고요!

티론 (부드럽게 충고를 한다.) 이런, 이런, 엄마 잘못이 아냐. 그 더러운 약 때문이지.

에드먼드 (신랄하게) 그런 효과 때문에 약을 하시는 거잖아요. 적어도 이번엔 그래요! (느닷없이) 제 차례죠? 여기요. (카드 패를 낸다.)

티론 (기계적으로 카드를 받으며, 부드럽게 타이른다.) 안 그런 척하지만, 네 병 때문에 엄마가 겁을 많이 집어먹었어. 그러니까 엄마한테 너무 심하게 굴지 마. 엄마 책임이 아니잖아. 누구라도 그 저주스런 독에 걸려들면…….

에드먼드 (얼굴이 점점 굳어진다. 신랄한 비난의 표정으로 아버지를 노려본다.) 그러게 그렇게 만들지 말았어야죠! 엄마 잘못 아니란 거 아주 잘 알아요! 누구 잘못인지도요! 아버지 탓이죠! 아버지가 하도 짜게 굴어서 그런 거잖아요! 저를 낳고 엄마가 아팠을 때 제대로 된 의사만 불렀어도, 엄만 모르핀 같은 게 있다는 것도 몰랐을 거예요! 그런데 아버지는 호텔 돌팔이 손에 엄마를 맡겼죠. 그 돌팔이는 자기가 무식한 줄도 모르고, 나중에 엄마한테 무슨 부작용이 일어날지도 신경 안 쓰고, 가장 쉬운 방법을 썼고요! 이게 전부 치료비가 싸기 때문이었어요! 아버지가 만날 싸구려만 찾으니까!

티론 (찔끔하다가 화를 내며) 조용히 해! 아무것도 모르면서, 어디서 그런 소리를 해! (성질을 죽이려고 애쓰며) 내 처지에서도 생각을 해봐야지. 그 작자가 그런 돌팔이인 줄 내가 어떻게 알았겠니? 평판이 좋았는데…….

에드먼드 호텔의 술집 주정뱅이들 사이에서야 좋았겠죠!

티론 말도 안 되는 소리! 호텔 관리인한테 최고 의사를 추천해달라고…….

에드먼드 그러셨겠죠! 양로원 운운하면서 싸구려 의사면 좋겠단 뜻을 분명히 비추면서요! 아버지 수법 다 알아요! 오늘 오후에도 똑같은 일을 겪었는데, 모를까 봐요?

티론 (죄책감을 느끼며 방어적으로) 오늘 오후에 뭐?

에드먼드 신경 쓰지 마세요. 지금은 엄마 이야기를 하는 중이잖아요! 아버지가 아무리 변명해도, 결국은 아버지 인색함 때문이라는 거 아버지도 아주 잘 알 거란…….

티론 내 말은, 그게 다 근거 없는 소리라는 거야! 당장 입 다물지 않으면…….

에드먼드 (못 들은 척하고) 엄마가 모르핀 중독이라는 걸 알았을 때도 그래요. 왜 초장에, 엄마한테 아직 가능성이 있을 때, 엄마를 치료소로 보내지 않았어요? 돈이 들어서 그런 거잖아요! 엄마한테 약간만 의지력을 발휘하면 된다고 했겠죠! 제대로 된 의사가 뭐라든, 아버진 지금도 그렇게 생각하고 있잖아요!

티론 또 헛소리! 나도 이젠 잘 알아! 하지만 그때 내가 어떻게 알았겠니? 모르핀이 뭔지 뭘 알았겠어? 몇 년이 지난 뒤에야 뭔가 잘못됐다는 걸 알았지. 그전엔 엄마가 아직 완쾌되지 않은 줄로만 생각했어. 그게 다야. 그리고 왜 돈을 들여 엄마를 치료하지 않았냐고? (신랄하게) 내가 안 그랬는 줄 알아? 치료비로 몇천 달러를 쏟아 부었어! 헛돈 쓴 거지. 그 돈을 들였는데, 결국 어떻게 된 줄 알아? 엄마는 언제나 다시 약에 손을 댔어.

에드먼드 도통 약을 끊고 싶게 만들질 않았잖아요! 집이라곤 엄마가 싫어하는 곳에다 이렇게 썰렁한 별장 하나 달랑 만들어놓고. 땅 사들이는 것도 모자라서, 금광이니 은광이니 하면서 단기간에 떼돈 벌게 해준다는 사기꾼들한테나 넘어가고. 집을 제대로 꾸미는 데는 돈 한 푼 안 들였잖아요! 시즌마다 순회공연 한답시고 엄마를 끌고 다니고요. 말동무 하나 없이, 밤마다 지저분한 호텔 방에서, 술집이 문을 닫아야 고주망태가 돼서 돌아오는 아버질 기다리게 만들면서요! 세상에, 그러니 엄마가 끊고 싶은 마음이 들었겠어요? 그 생각만 하면, 아버지가 미워 미치겠다고요!

티론 (비탄에 젖어) 에드먼드! (그러곤 격분해서) 이 버르장머리 없는 놈, 아버지한테 어떻게 그럴 수 있어! 네놈한테 내가 어떻게 했는데.

에드먼드 말 나온 김에 따져보죠. 아버지가 저한테 뭘 해주셨죠?

티론 (다시 죄책감에 젖은 얼굴로, 못 들은 척하며) 엄마가 약만 하면 늘어놓는 그 말도 안 되는 원망을 너한테까지 들어야 하니? 난 엄마를 억지로 끌고 다닌 게 아냐. 물론 나도 당연히 함께 있고 싶었지. 엄마를 사랑했으니까. 엄마도 마찬가지였고. 제정신이 아닐 때 엄마가 뭐라고 하든, 이건 진실이야. 그리고 엄마는 외로울 이유가 없었어. 원하면 언제든 말동무가 돼줄 극단 식구들이 있었으니까. 자식도 있었고. 거기다 내가 우겨서, 돈 신경 안 쓰고 유모까지 데리고 다녔어.

에드먼드 (신랄하게) 그러셔요? 아버지가 돈을 안 아낀 건 그 일뿐이었죠. 엄마가 우리한테만 신경 쓰는 게 샘나고, 우리가 걸리적거리는 게 싫었으니까요. 하지만 그것도 실수였어요! 엄마가 절 혼자서 돌봐야 했으면, 그 일에 정신 팔려서…….

티론 (아픈 데를 찔리자 앙심이 생겨서) 엄마가 제정신이 아닐 때 하는 말들로 날 판단하는데, 그 문제라면 말야, 너만 안 태어났어도 엄마는……. (부끄러움에 말을 멈춘다.)

에드먼드 (갑자기 지쳐서 비참하게) 네. 엄마가 어떻게 생각하는지 저도 알아요.

티론 (뉘우치며 항변한다.) 아니야! 엄마는 여느 어머니들처럼 널 사랑해! 그냥 홧김에 한 소리야. 자꾸 과거를 들추면서 날 미워하느니 어쩌니 해서…….

에드먼드 (힘없이) 저도 그러려고 그런 게 아니에요, 아버지. (갑자기 웃으며, 약간 취한 목소리로 농담을 한다.) 저도 엄마랑 비슷한가 봐요. 무슨 일이 있었건 아버질 좋아할 수밖에 없는 걸 보니.

티론 (역시 약간 취기 어린 얼굴로 씩 웃어준다.) 나도 마찬가지야. 넌 아들로서 평범해. 하지만 '변변치 못해도 내 자식'이지. (둘은 술기운 때문인지는 몰라도 진심으로 애정을 갖고 킬킬거린다. 그러다 티론이 화제를 바꾼다.) 게임은 어떻게 된 거지? 누구 차례야?

에드먼드 아버지 차례 같은데요. (티론이 카드를 하나 내자, 에드먼드가 그 카드를 받는다. 그러나 게임은 다시 관심 밖으로 밀려난다.)

티론 오늘 안 좋은 소식 들었다고 너무 낙담하지는 마라. 두 의사 다 장담했어. 이번에 갈 요양원에서 처방에 잘 따르면, 육 개월이나 길어도 일 년 안에 회복될 거라고 말야.

에드먼드 (얼굴이 다시 굳어진다.) 속이지 마세요. 아버지도 안 믿잖아요.

티론 (아주 격하게) 하디 선생에 다른 전문의까지 그랬는데, 왜 안 믿어? 당연히 믿지!

에드먼드 아버진 제가 죽을 거라고 생각하잖아요.

티론 허튼소리! 제정신이 아니구나!

에드먼드 (더욱 씁쓸하게) 뭐 하러 돈을 낭비해요? 저를 주립 요양원으로 보내려는 것도 다…….

티론 (죄책감에 당황해서) 무슨 주립 요양원? 내가 아는 건 힐타운 요양원이 전부인데. 그리고 두 의사 다 거기가 가장 좋을 거라고 했어.

에드먼드 (가차 없이) 돈 때문이잖아요! 무료거나 무료에 가까울 테니까요. 거짓말 마세요, 아버지! 힐타운 요양원이 주립 요양원이라는 건 아버지도 잘 알잖아요! 아버지가 하디 선생한테 양로원 어쩌고 해놓고선. 형이 하디 선생한테서 다 들었대요.

티론 (격분해서) 그 주정뱅이 건달! 당장 내쫓아버려야지! 네가 말귀를 알아들을 때부터 네 마음을 더럽혀서, 이 아비한테까지 대들게 만들잖아!

에드먼드 주립 요양원 얘기는 부정할 수 없는 사실이잖아요, 안 그래요?

티론 네가 생각하는 거랑은 달라! 주에서 운영하는 게 뭐가 어때서? 나쁠 거 없잖아. 주에 재정이 풍부해서 사립병원보다 더 좋게 만들어놨는데. 그런데 왜 이용하면 안 되는데? 그건 내 권리이자 너희들의 권리이기도 해. 우린 주민이니까. 게다가 난 지주야. 요양소 운영을 돕는다고. 세금을 얼마나 많이 내는데…….

에드먼드 (신랄하게 빈정대며) 그렇겠죠, 이십오만 달러나 나가는 땅이니.

티론 헛소리! 다 저당잡혀 있어!

에드먼드 하디 선생하고 전문의도 아버지 재산이 얼마인지 다 알아요. 그런데도 징징거리고 양로원 들먹이면서 아들을 자선병원에 보내고 싶다는 뜻을 내비쳤으니 그들이 아버질 어떻게 생각했을지 궁금하네요!

티론 헛소리야! 난 땅은 많아도 현금은 없기 때문에 백만장자들이 나 가는 요양원에는 보낼 수 없다는 말밖에 안 했어. 그게 사실이고!

에드먼드 그런데 클럽에서 맥과이어한테 홀라당 넘어가서는 그 빌어먹을 땅을 또 사요! (티론이 부정하려 하자) 거짓말할 생각 마세요! 호텔 술집에서 아버지랑 만나고 나오는 걸 봤어요. 형이 또 낚았냐고 농담을 했더니, 윙크를 하면서 웃더라고요!

티론 (대충 거짓말을 한다.) 뭐라고 말했건 그는 거짓말쟁이야…….

에드먼드 거짓말 마세요! (점점 더 격렬하게) 제발, 아버지, 바다로 나가 제힘으로 벌어먹고 살면서, 힘들게 일하고도 쥐꼬리만 한 돈을 받는 게 어떤 건지, 빈털터리가 돼서 굶주리다 잘 곳도 없이 공원 벤치에서 노숙을 하는 게 어떤 느낌인지 알았어요. 그러면서 아버질 제대로 이해하려고 노력했죠. 어려서 아버지가 고생했다는 걸 아니까요. 아버지를 용서하려고도 했어요. 이 빌어먹을 집구석에서는 용서를 해야지, 안 그럼 돌아버릴 테니까요! 제가 저질렀던 미친 짓들이 떠오를 때도 스스로를 용서하려고 애썼고요! 그리고 돈 문제는 아버지도 어쩔 수 없다는 점, 엄마처럼 이해하려고 했어요. 그런데 이런, 세상에, 이번 일은 너무하셨어요! 정말 토할 것 같아요! 아버지가 저를 막 대해서 그런 게 아녜요. 그런 건 신경 안 써요! 저도 제 식대로 아버지한테 못되게 굴었으니까. 하지만 아들이 폐병에 걸렸다는데, 꼭 그렇게 구두쇠 같은 본색을 온 동네에 드러내야겠어요! 하디가 알면, 온 동네 사람들이 알게 될 거라는 거 몰랐어요! 제발, 아버지, 자존심도, 부끄러움도 없으세요? (분노를 폭발시키며) 제가 그냥 넘어갈 거라고 생각하지 마세요! 더러운 돈 몇 푼 아껴서 그 쓸데없는 땅 더 사라고, 꾀지지한 주립 요양원에 들어가지는 않을 거예요! 지독한 구두쇠 영감탱이 같으니……! (목이 메어 쉰 소리가 나오고, 목소리는 분노로 떨린다. 그러다 발작적으로 기침을 해댄다.)

티론 (그의 공격에 움츠러들어 의자에 주저앉는다. 분노보다는 자책감과 후회가 더 크다. 더듬더듬 말을 시작한다.) 조용히 해라! 그런 소리 마! 넌 취했어! 그러니 네 말엔 신경 안 쓰마. 기침 그만해라, 얘야. 아무것도 아닌 일로 너무 흥분했어. 너더러 힐타운으로 가야 한다고 누가 그러던? 넌 어디든 원하는 곳으로 갈 수 있어. 돈이 얼마가 들든, 난 신경 안 쓴다. 내가 신경 쓰는 건, 네 병을 치료하는 것뿐이야. 날 봉으로 알고 돈을 뜯어내려는 의사한테 가지 않는다고 해서, 날 지독한 구두쇠라고 부르지는 마라. (에드먼드가 기침을 멈춘다. 그는 지치고 아파 보인다. 티론이 걱정스런 얼굴로 아들을 바라본다.) 기운이 없어 보이는구나. 한잔 하는 게 좋겠어.

에드먼드 (술병을 집어 들어 한 잔 가득 따르고, 힘없이) 고마워요. (위스키를 벌컥벌컥 들이켠다.)

티론 (그도 한 잔 가득 따라 마시자, 술병이 빈다. 고개를 숙이고 탁자 위 카드들을 아무 생각 없이 바라보다가, 멍하게) 누구 차례지? (노기 없이 멍하게 말을 잇는다.) 지독한 구두쇠 영감탱이라. 글쎄, 네 말이 맞을지도 몰라. 어쩔 수 없는 구두쇠인지도 모르지. 모든 걸 갖게 된 후로, 술집 손님들한테 전부 술을 돌리면서 돈을 펑펑 쓰거나, 갚지 않으리라는 걸 알면서도 치사한 인간들한테 돈을 빌려주긴 했지만……. (헤벌어진 입에 자조적인 냉소를 머금으며) 물론, 술이 가득 올랐을 때 술집에서나 그런 거야. 멀쩡한 정신으로 집에서 그럴 수는 없지. 나한테 돈의 가치를 일깨워주고 양로원을 두려워하게 만든 건 가정이야. 그 후로는 내 행운을 믿을 수 없게 됐지. 갑자기 상황이 돌변해서 모든 걸 잃게 될까 봐 언제나 두려웠어. 하지만 땅은 많이 가질수록 안심이 되지. 이치에 안 맞는 얘기처럼 들릴지 모르지만, 내 생각은 그래. 은행이 파산해서 돈을 날려도, 발밑의 땅은 지킬 수 있으니까. (갑자기 경멸과 우월감에 찬 어조로 바뀌어) 내가 어려서 고생했다는 걸 안다고 했지? 근데 알긴 뭘 알아! 네가 그걸 어떻게 알아! 넌 모든 게 있었는데. 유모에 학교, 대학. 졸업은 안 했지만 말이야. 거기다 음식이 부족했어? 옷이 부족했어? 아, 물론 네가 등짐 지며 막노동까지 해봤다는 건 나도 알아. 이국땅에서 집도 돈도 없이 살아도 봤지. 그 점은 나도 인정해. 하지만 그것도 너한테는 낭만이고 모험이었어. 재미로 한번 해본 거지.

에드먼드 (멍하게 빈정거린다.) 맞아요. '지미 더 프리스트'[11]에서 자살을 시도했다가 죽을 뻔했을 때는 특히 그랬죠.

티론 넌 제정신이 아니었어. 내 아들은 결코……넌 취해 있었어.

---

11 유진 오닐이 1911년 몇 달간 실제로 머물렀던 뉴욕 해안 거리의 술집 겸 간이 숙소.

에드먼드 아뇨, 아주 말짱했어요. 그게 문제였죠. 생각하려고 너무 오래 멈춰 있었으니까요.

티론 (술기운에 짜증을 내며) 그 빌어먹을 무신론자들이나 지껄이는 허튼소리, 다시는 마! 듣고 싶지도 않아. 너한테 분명히 말해주고 싶은 건……. (경멸조로) 네가 돈의 가치를 어떻게 알아? 내가 열 살 때 내 아버지가 어머니를 버리고 아일랜드로 돌아갔지. 고향에서 죽겠다고 말이야. 그러곤 정말로 죽었어. 그래도 싸. 지옥에서 불 맛 좀 보고 있으면 좋겠어. 아버지가 쥐약을 밀가루나 설탕 뭐 그런 걸로 착각했다나? 착각이 아니었다는 소문도 있었는데, 다 거짓말이야. 우리 식구 중엔 누구도…….

에드먼드 분명 실수가 아니었을 거예요.

티론 또 그런 음침한 소리! 형이 널 그렇게 세뇌시켜서 그래. 최악의 의혹을 진실로 착각하는 녀석이니까. 하지만 신경 쓸 것 없어. 그래서 내 어머닌 낯선 땅에 홀로 남겨졌지. 나랑 나보다 약간 더 큰 누나 하나, 동생 둘, 이렇게 어린 자식들 넷하고 말이야. 형 둘은 이미 다른 곳으로 떠나고 없었어. 우릴 도와줄 수도 없었지. 자기네 먹고살기도 힘들었으니까. 우리가 겪은 가난에는 그 염병할 낭만 같은 거 전혀 없었어. 쓰러져가는 헛간 같은 집구석에서 쫓겨난 적도 두 번이나 돼. 몇 개 안 되는 가구들은 길바닥에 내동댕이쳐지고, 어머니하고 누나는 울부짖었지. 그래도 난 집안 가장이라는 생각에, 울지 않으려고 애썼어. 결국엔 울음을 터뜨리고 말았지만 말야. 고작 열 살에 이 모든 일들을 겪은 거야! 그 후로 학교는 끝이었어. 난 서류철 만드는 법을 배우면서 하루 열두 시간씩 기계 가계에서 일했지. 천장에서 빗물이 뚝뚝 떨어지는 더러운 헛간 같은 곳에서, 여름에는 푹푹 찌고 겨울에는 난로도 없어 추위에 손이 곱은 곳에서, 빛이 들어오는 곳이라곤 지저분한 창문 두 개밖에 없어서 흐린 날에는 파일에 두 눈이 닿을 정도로 잔뜩 몸을 웅크려야 파일을 볼 수 있는 곳에서 말야! 그런데 네가 감히 막노동 운운해! 그렇게 일해서 내가 얼마를 받은 줄이나 알아? 일주일에 고작 오십 센트야! 진짜야! 일주일에 고작 오십 센트! 거기다 불쌍한 어머니는 낮 동안 양키놈들 집에서 설거지며 빨래를 하고, 누나는 바느질을 했어. 두 동생은 집을 지키고. 그런데도 옷이며 먹을 게 항상 부족했어. 그러다 어느 추수감사절인가 크리스마스 때였지. 어머니가 빨래를 해주던 어느 미국인 집에서 일 달러를 보너스로 줬지. 어머닌 집으로 돌아오는 길에 그 돈으로 몽땅 먹을 걸 샀어. 어머니가 피곤에 찌든 얼굴로 줄줄 눈물을 흘리면서 우리를 껴안고 키스를 퍼부어대며 하시던 말씀이 지금도 생각나. "내 평생 식구들 전부 배불리 먹게 되다니, 하느님 감사합니다!" (눈에서 눈물을 닦아낸다.) 훌륭하고 용감하고 따스한 분이었는데. 내 어머니보다 더 훌륭하고 용감한 분은 없었어.

에드먼드 (감동받아) 그래요, 그러셨을 거예요.

티론 내 어머니가 한 가지 두려워하시던 게 있는데, 바로 늙고 병들어 양로원에서 죽는 거였어. (사이. 정색을 하고 위악적인 농담을 덧붙인다.) 나한테 구두쇠 기질이 생긴 건 그때부터야. 당시 일 달러는 아주 큰돈이었거든. 그리고 기질은 일단 생기고 나면, 버리기 힘들어. 뭐든 싼 것만 찾게 되지. 그러니까 내가 비용이 싸게 먹힌다는 이유로 주립 요양원을 골랐다고 해도, 날 이해해줘야 해. 의사들도 분명히 거기가 좋다고 했어. 내 말을 믿어, 에드먼드. 그리고 맹세하는데, 네가 싫다는데도 억지로 거기로 보낼 생각은 없어. (힘 있게) 어디든 가고 싶은 곳을 골라! 비용은 신경 쓰지 말고! 어떤 데로 가든 돈을 댈 수 있으니까. 합당한 범위 안에서 어디든, 네가 원하는 곳으로 말야.

(이 조건에 에드먼드의 입술이 쓴웃음으로 씰룩인다. 하지만 분노는 사라지고 없다. 티론은 애써 무심한 척 말을 계속한다.) 전문의가 추천해준 곳도 있어. 국내 어느 요양원 못지않게 잘 고친대. 원래는 돈 많은 공장주들이 직원들을 위해서 돈을 기부해 만든 곳인데, 너도 이 지역 주민이라 들어갈 자격이 있다고 하더라. 게다가 돈을 많이 비축해두고 있어서, 치료비도 별로 안 받는대. 일주일에 칠 달런데, 열 배의 가치는 한다더라. (황급히) 물론 널 설득할 마음은 없으니까, 오해는 마라. 그냥 들은 대로 전해줄 뿐이야.

에드먼드 (웃음을 숨기며, 아무렇지도 않게) 알았어요. 제가 듣기에도 좋은 것 같네요. 거기로 가죠, 뭐. 그럼, 그 문제는 이렇게 해결된 겁니다. (갑자기 다시 비참하고 절망적인 마음으로 힘없이) 어쨌든 이젠 상관없어요. 잊어버리자고요! (화제를 바꾸며) 게임이 어떻게 되어가고 있었죠? 누구 차례죠?

티론 (기계적으로) 몰라. 내 차례 같은데. 아니, 네 차례야. (에드먼드가 카드를 내자, 티론이 그것을 받는다. 그러곤 카드를 내려다 다시 딴생각에 빠져든다.) 맞아, 쓴 인생 교훈에 너무 데여서 돈을 필요 이상으로 중요하게 생각한 건지도 몰라. 그러다 결국은 실수로 잘나가던 배우 인생까지 망쳐버리게 된 건지도. (슬프게) 전에는 누구한테도 이런 점을 인정한 적 없는데. 오늘은 마음이 너무 아파 그런가? 모든 게 다 끝난 것 같은 기분이 드는구나. 이런 마당에 자존심 세우고 허세 부린들 무슨 소용이겠니.

거저 얻은 그 빌어먹을 놈의 작품이 흥행에서 엄청난 성공을 거두었어. 그러니까 그 작품으로 쉽게 돈을 벌 수 있겠다는 생각이 들더구나. 몰락의 길을 자초한 거지. 다른 작품은 일절 하고 싶지 않았어. 그러다 그 망할 놈의 작품에 노예가 되었다는 사실을 깨닫고 다른 작품을 시도했지만, 이미 너무 늦은 뒤였어. 사람들이 날 보면 그 역할만 떠올렸고, 내가 다른 역으로 나오는 것도 원치 않았거든. 하기야 그들이 옳았지. 몇 해 동안 새로운 역할도 안 하고 공부도 열심히 안 하면서 같은 역할만 쉽게 반복했으니. 그 탓에 과거의 그 뛰어났던 재능을 잃어버리고 말았어.

시즌당 삼만오천에서 사만 달러의 순이익을 내는 건 식은 죽 먹기였어! 뿌리치기 힘든 유혹이었지. 그 빌어먹을 놈의 작품을 하기 전까진 미국에서 가장 전도유망한 배우 서넛 중에 들었는데 지독한 노력의 결과였지. 난 단역을 따내려고 기계공이라는 직업도 버렸어. 연극을 사랑했으니까. 거기다 야망에 불타고 있었지.

희곡이란 희곡은 모조리 읽었어. 네가 성경을 공부하는 것처럼 셰익스피어도 공부했지. 독학으로 말야. 아일랜드 사투리도 깨끗이 없앴어. 셰익스피어를 사랑했으니까. 그의 작품이라면 어떤 것이든 무료로도 출연했을 거야. 그의 위대한 시 속에서 사는 즐거움만으로도 족했으니까. 게다가 난 셰익스피어 작품을 할 때 연기가 잘됐어. 그에게 영감을 받는 것 같았지. 계속 밀고 나갔으면, 위대한 셰익스피어 전문배우가 됐을 거야. 틀림없어!

1874년 에드윈 부스[12]가 내가 주연으로 출연하던 시카고의 극장에 왔어. 당시 내가 하룻밤 카시우스를 하면 그가 브루투스를 하고, 다음날 내가 브루투스를 하면 그가 카시우스를, 내가 오셀로를 하면 그가 이아고를 하곤 했지. 오셀로를 연기한 첫날, 그가 극장 지배인한테 이렇게 말했어. "저 젊은이가 나보다 오셀로 연기를 더 잘하네요!" (자랑스러워하며) 당대, 아니 시대를 초월한 명배우 부스가 말야! 그의 말은 사실이었어! 그리고 난 당시 스물일곱에 불과했지! 돌이켜보면, 그날 밤이 내 배우 생활의 정점이었어. 내가 원하던 삶을 살고 있었지! 이후 얼마간은 드높은 야망을 갖고 계속 전진했어. 네 엄마와 결혼도 했고. 당시에 내가 어땠는지 엄마한테 한번 물어보렴. 엄마와의 사랑은 내 야망을 더욱 부채질했지. 그런데 몇 년 후, 큰돈을 벌 기회가 왔어. 행운을 가장한 불운이었지. 처음에는 나도 몰랐어. 처음엔 그저 나한

---

12 Edwin Thomas Booth(1833~1893), 19세기 가장 위대한 햄릿으로 평가받는 미국의 유명한 연극배우.

테 딱 맞는 낭만적인 역할이라고만 생각했지. 그런데 이 작품이 처음부터 흥행에 성공하면서, 삶이 날 자기가 원하는 곳으로 끌고 가기 시작한 거야. 시즌당 삼만오천에서 사만 달러의 순이익을 내다니! 당시는 물론이고 지금도 큰돈이지. (씁쓸하게) 그 돈으로 대체 뭘 사려고 그랬는지. 하기야 지금 와서 뭔 소용이야. 후회해도 이미 늦었는데. (멍하니 자신의 카드를 힐끔 보며) 내 차례지?

에드먼드 (감동받아, 이해의 눈길로 아버지를 바라보다가 느리게) 그런 이야기 해주셔서 고마워요, 아버지. 이제 아버지가 훨씬 잘 이해돼요.

티론 (어정쩡하게 일그러진 웃음을 지으며) 말을 하지 말걸 그랬나? 날 더 경멸할 수도 있잖니. 돈의 가치를 일깨워주는 데도 좋은 방법이 아니고. (순간, 이 말이 자동적으로 어떤 습관적인 생각을 불러일으킨 듯, 못마땅한 얼굴로 샹들리에를 올려다본다.) 이 쓸데없는 불빛들 때문에 눈이 아프구나. 꺼도 되지? 필요도 없고, 전기회사만 부자 만들 이유도 없으니까.

에드먼드 (웃음이 터지려는 걸 억누르며, 흔쾌히) 물론이죠. 끄세요.

티론 (힘에 겨운 듯 약간 비틀거리며 일어나, 스위치를 더듬어 찾는다. 그러다 아까 했던 생각이 되살아나) 모르겠어. 그 돈으로 대체 뭘 사려고 그랬던 건지. 정말 모르겠어. (전등을 하나 끈다.) 얘야, 엄숙히 맹세하는데, 내 가능성을 살려서 훌륭한 배우가 될 수 있다면, 그래서 그걸 추억하며 살 수 있다면, 내세울 땅덩어리 하나 없어도, 통장에 땡전 한 푼 없어도, 난 상관없어. (전등을 하나 더 끈다.) 늙어서 양로원밖에 갈 곳이 없어도, 난 상관없어. (세 개째 전등을 끈다. 이제 독서등만 달랑 켜져 있다. 그는 다시 힘겹게 자리에 앉는다. 에드먼드가 더는 못 참고, 억눌렀던 실소를 터뜨린다. 마음이 상해서 티론이 묻는다.) 대체 왜 웃는 거야?

에드먼드 아버지 때문이 아니에요. 인생 때문이죠. 인생이 너무 괴상하잖아요.

티론 (불만스러운 소리를 낸다.) 또 그런 소리! 인생엔 아무 문제 없어. 문제는 우리……. (셰익스피어의 한 구절을 인용한다.) "브루투스, 우리가 부하가 된 잘못은 우리의 운명이 아니라 우리 자신에게 있다네."[13] (사이를 두었다가 슬프게) 내 오셀로 연기에 에드윈 부스가 칭찬해준 거 말이다. 난 지배인한테 그의 말을 그대로 적어달라고 했어. 그러곤 여러 해 동안 그걸 지갑 속에 넣고 다녔지. 속이 쓰려서 더는 볼 수 없을 때까지 가끔씩 그걸 꺼내 읽곤 했단다. 그게 지금 어디 있더라? 집안 어딘가에 있을 텐데. 어딘가에 잘 넣어뒀는데…….

에드먼드 (비틀리고 냉소적인 슬픔에 젖어) 엄마 웨딩드레스랑 같이, 다락에 있는 오래된 트렁크 안에 있을 거예요. (티론이 그를 쳐다보자, 얼른 덧붙인다.) 카드 계속하실 거면, 카드나 치자고요. (에드먼드는 티론이 낸 카드를 받고 카드를 낸다. 한동안 둘은 기계적인 체

---

13 셰익스피어의 《줄리어스 시저》 1막 2장에 나오는 대사.

스 선수들처럼 게임을 한다. 그러다 티론이 게임을 멈추고, 위층에서 나는 소리에 귀를 기울인다.)

티론 아직도 돌아다니고 있어. 언제 잠자리에 들런지 원.

에드먼드 (절박하게 애원한다.) 제발, 아버지. 잊어버리세요! (술병으로 손을 뻗어 한 잔 따른다. 티론이 말리려다 포기하고 만다. 에드먼드는 술을 마신다. 달라진 표정으로 술잔을 내려놓고, 일부러 취기에 젖어 감상적인 태도 뒤에 숨으려는 것처럼 말한다.) 그래요. 엄마는 위층, 우리가 닿을 수 없는 곳에서 돌아다니고 있어요. 유령처럼 과거 속을 배회하고 있죠. 우린 신경 안 쓰는 척 여기 앉아 있지만, 작은 소리도 놓치지 않으려고 귀를 바짝 세우고 있고요. 추녀 끝에서 안개가 떨어지는 소리까지, 미친 듯 태엽 풀린 시계가 불규칙하게 똑딱거리는 소리나 싸구려 술집의 김빠진 맥주 위로 매춘부의 쓸쓸한 눈물이 떨어지는 것 같은 안개 소리까지 들으면서요! (그러곤 자신의 말에 감상적으로 취해서 웃음을 터뜨린다.) 마지막 부분, 그렇게 나쁘지 않죠? 마지막은 보들레르가 아니고 제 작품이에요. 정말이에요! (그러곤 취기로 수다스럽게 떠들어댄다.) 아버지가 방금 기억에 남는 몇 가지 일을 이야기하셨으니, 저도 해드리죠. 들어보실래요? 모두 바다랑 관련된 기억들인데요. 먼저, 부에노스 아이레스 행 스칸디나비아 가로돛배를 탔을 때였어요. 보름달에 무역풍이 불고 있었죠. 낡은 배는 14 노트의 속력으로 달리고 있었고요. 전 뱃머리 앞 기움돛대에서 고물 쪽을 보고 누워 있었어요. 제 밑에서는 바닷물이 포말을 일으키고, 위에서는 돛들이 달빛 속에 하얗게 치솟아 있었습니다. 그 아름다움과 노래 같은 리듬에 전 황홀경 속으로 빠져들었지요. 순간, 제 자신을, 인생을 잊을 수 있었습니다. 자유를 얻은 거죠! 전 바닷물 속으로 녹아들어, 흰 돛이 되고, 흩날리는 물보라가 되고, 아름다움과 리듬이 되고, 달빛과 배가 되고 별들이 희미하게 박힌 드높은 하늘이 되었습니다! 과거도 미래도 없이, 평화와 조화, 생생한 기쁨, 저나 인간 전체의 삶보다 위대한 어떤 것 안에서 생명 그 자체가 된 거죠! 아버지가 원한다면, 그 생명을 신이라 해도 좋아요. 그리고 또 한번은 아메리카 라인을 탔을 때였어요. 새벽 당직을 맡아 돛대 위 망대에서 망을 보는 중이었지요. 바다는 고요했어요. 나른하게 일렁이는 파도 위에서 배가 졸린 듯 천천히 미끄러지고 있었죠. 승객들은 잠이 들고, 선원도 한 명 보이지 않았습니다. 사람 소리 하나 들리지 않았죠. 제 뒤와 밑의 굴뚝에서는 검은 연기가 치솟고요. 전 망 보는 것도 잊고, 그 위에서 홀로 쓸쓸히 꿈에 잠겼습니다. 함께 잠들어 있는 바다와 그림을 그리듯 여명이 하늘을 잠식해 들어가는 광경을 바라보면서요. 그 순간, 황홀한 자유의 느낌이 또 찾아왔어요. 그 평화, 방황의 끝, 마지막 항구, 인간의 더럽고 가련하고 탐욕스런 두려움과 희망, 꿈이라니! 그 후에도 몇 번 더 그런 경험이 있었죠. 멀리까지 헤엄쳐 나가거나 해변에 홀로 누워 있을 때도 같은 경험을 했고요. 태양과, 뜨거운 모래와, 바위에 달라붙어 조류에 이리저리 흔들리는 푸른 해초와 하나가 된 겁니다. 성인들이 느끼는 지복 같은 걸 경험한 거죠. 삼라만상을 가리고 있던 막이 보이지 않는 손에 걷혀버린 것 같은 느낌. 그런 순간, 우린 삼라만상의 신비를 보고, 신비 자체가 되죠. 한순간 의미를 발견하는 겁니다! 그러다 그 손이 다시 베일을 덮으면, 우린 다시 안개 속에서 홀로 헤매게 되고, 이유 없이 어딘지 모르는 곳을 향해 비틀거리며 나아가죠! (이상하게 비틀린 웃음을 짓는다.) 제가 인간으로 태어난 것 자체가 큰 실수였습니다. 갈매기나 물고기로 태어났더라면 훨씬 좋았을 텐데. 사실 전 언제나 어색한 이방인, 누군가를 원하지도 않고 누군가에게 그리움의 대상도 못 되는 이방인, 어디에 속하지도 못해서 언제나 조금은 죽음을 사랑할 수밖에 없는 이방인처럼 살 거예요!

티론 (감동해서 그를 빤히 쳐다보면서) 그래, 너한테는 분명 시인의 소질이 있어. (그러곤 걱정스럽다는 듯 한소리 한다.) 하지만 누구도 널 원하지 않는다거나 죽음을 사랑할 수밖에 없다는 말은 병적인 허튼소리야.

에드먼드 (냉소적으로) 시인의 소질이라니요. 아뇨. 유감스럽게도 전 길거리에서 만날 담배나 구걸하는 인간들하고 같아요. 그런 인간들에겐 소질도 없죠. 버릇만 있을 뿐. 지금도 제가 하려던 말을 잘 전달하지 못했어요. 그냥 더듬거렸을 뿐이죠. 살아남아도, 이렇게밖에 못할 거예요. 뭐, 적어도 사실에는 충실하겠지만요. 우리 같은 안개 인간들한텐 더듬기가 타고난 화술이니까. (사이. 집밖에서 누군가 비틀거리다가 현관 계단에서 넘어지는 것 같은 소리를 듣고, 둘 다 놀라서 움찔한다. 에드먼드가 씨익 웃는다.) 형 같은데요. 잔뜩 취한 모양이에요.

티론 (얼굴을 찌푸리며) 날건달 같으니! 막차를 탄 거야. 빌어먹을 막차. (자리에서 일어선다.) 형을 침실에 데려다 눕혀. 난 베란다에 나가 있을 테니까. 저 녀석, 취하면 마구 쏘아붙이잖아. 공연히 울화통만 터질 거야. (제이미가 현관문을 쾅 닫으며 들어오자, 그는 옆베란다로 나간다. 비틀거리며 응접실을 통해 들어오는 형을 에드먼드는 재미있다는 표정으로 지켜본다. 제이미가 거실로 들어선다. 잔뜩 취해 멍하니 서 있는 그를 보니, 두 눈은 게슴츠레하고, 얼굴은 부어 있으며, 발음은 불분명하고, 아버지처럼 헤벌어진 입에 입술은 심술궂게 일그러져 있다.)

제이미 (문간에 비틀비틀 서서 눈을 껌뻑이며, 큰 소리로) 뭐야, 에? 뭐야!

에드먼드 (날카롭게) 시끄럽게 굴지 마!

제이미 (실눈을 뜨고 동생을 보며) 어이, 꼬맹이, 안녕? (그러곤 아주 심각하게) 나 꼭지가 돌게 퍼마셨다.

에드먼드 (냉담하게) 그런 대단한 비밀을 알려주다니, 고맙네.

제이미 (바보처럼 씩 웃으며) 얼씨구, 일급 쓰레기 정보라 이거지? 엥? (몸을 굽혀 자기 무릎을 탁 친다.) 심각한 사고가 있었어. 현관 계단이 날 밟아 뭉개려고 했다니까. 안개를 틈타 날 급습하려고 했지. 저기 바깥에 등대를 설치해야겠어. 여긴 너무 어두워. (얼굴을 찌푸리며) 뭐야, 여기가 시체 안치소야? 그럼, 시체에 불을 밝혀볼까? (키플링의 시를 읊으며, 비틀비틀 탁자 쪽으로 향한다.)

여울, 여울, 카불 강의 여울,

어둠 속 카불 강의 여울이여!

그대 옆 말뚝을 따라가면, 어둠 속에서도

카불 강의 여울을 건너리.

(샹들리에를 더듬어 가까스로 전등 세 개를 켠다.) 좀 낫네. 늙은 가스파르는 꺼지라고 해. 그런데 이 구두쇠 영감탱이 어디 있는 거야?

에드먼드 바깥 베란다에.

제이미 우리가 캘커타의 지하 감옥[14] 같은 데서 살기를 바라는 건 아니겠지? (술이 가득 든 위스키 병을 뚫어져라 바라보며) 엇! 취해 헛것이 보이나? (더듬더듬 손을 뻗어 술병을 잡는다.) 이럴 수가, 진짜네. 늙은 영감탱이, 오늘 어떻게 된 거 아냐? 이걸 내다놓고 잊어버리다니, 어지간히 취한 게로군. 기회의 앞머리를 잡을지어다. 내 성공의 열쇠야. (넘치도록 술을 그득 따른다.)

에드먼드 지금도 많이 취했어. 그러다 뻗어.

제이미 애송이 주제에 아는 체하긴. 건방 떨지 마. 머리에 피도 안 마른 녀석이. (술잔을 조심스럽게 높이 치켜들고, 의자에 앉는다.)

---

14 1756년 6월, 146명의 영국인 전쟁포로와 시민들 중 무려 123명이 산소 부족과 열로 질식사했다는 설이 있는 감옥.

에드먼드 좋아. 그렇게 뻗어버리고 싶다면야 그러든지.

제이미 그게 안 돼. 그게 문제야. 죽어라 마셔도, 말짱해. 어, 여기 희망이 보이는군. (술을 마신다.)

에드먼드 병 좀 밀어줘. 나도 한잔 하게.

제이미 (갑자기 형답게 걱정을 하며 술병을 잡는다.) 안 돼, 넌 안 돼. 내가 있는 한 안 돼. 의사가 한 말 잊었어? 네가 죽어도 누구 하나 신경 쓰지 않겠지만, 난 달라. 내 꼬맹이 동생. 나 너 정말 사랑해. 다른 건 모조리 잃어버렸어. 나한테 남은 건 너뿐이야. (술병을 가까이 끌어당기며) 그러니까 되도록이면 너한텐 술 안 줄 거야. (취기 어린 감상에서 진심이 묻어난다.)

에드먼드 (짜증스럽게) 우, 집어치워.

제이미 (상처를 받아 얼굴이 굳어진다.) 내가 걱정한다는 거 안 믿는구나, 어? 그냥 주정뱅이 헛소리라고 생각하는 거지? (술병을 밀어주며) 좋아. 마시고 죽어.

에드먼드 (형이 섭섭해하는 것을 보고, 애정을 실어) 물론, 형이 걱정한다는 거 알아. 나도 술 끊을 거야. 하지만 오늘 밤은 마실래. 오늘 안 좋은 일들이 너무 많았거든. (술을 따른다.) 자, 마시자고. (술을 마신다.)

제이미 (잠시 정신을 차리고 연민의 표정으로) 알아, 꼬맹이. 너한테는 힘겨운 하루였지. (그러곤 냉소적으로) 그래도 그 늙은 가스파르라면 술을 끊게 하지는 않을 거야. 아마 주립 요양원에 갈 때도 한 상자 들려 보낼걸. 네가 빨리 사라질수록 비용이 적게 들 테니까. (경멸과 증오에 찬 어조로) 그런 인사가 아버지라니! 제기랄, 아버지 이야길 책에 집어넣어도, 아무도 안 믿을 거야!

에드먼드 (방어적으로) 아버지도 좋은 분이야. 아버질 이해하려고 하고, 유머감각을 잃지 않으면.

제이미 (냉소적으로) 아버지가 또 그 구닥다리 눈물 연기를 펼쳤구나, 그렇지? 아버진 언제든 널 속일 수 있어. 하지만 난 안 돼. 다시는 안 속아. (그러곤 천천히) 물론, 어떻게 보면 안 된 점이 있긴 하지. 하지만 그것도 아버지가 자초한 거야. 아버지 책임이란 말이야. (황급히) 그 얘긴 그만하자. (술병을 집어 들어 한 잔 더 따른다. 다시 흠뻑 취한 것 같다.) 마지막 마신 술이 이제 오르나 보네. 이 잔으로 끝을 봐야 하는데. 내가 하디 선생한테서 다 알아냈단 얘기 가스파르한테 했어?

에드먼드 (마지못해) 응. 그래서 거기 안 간다고 했어. 이제 다 해결됐어. 아버지가 어디든 내가 원하는 곳으로 가래. (노기 없이 웃으며 덧붙인다.) 물론, 합당한 선 안에서.

제이미 (술이 취해 티론을 흉내 낸다.) 물론이지, 아들. 합당한 선 안에선 어디든 좋아. (냉소하며) 그건 다른 싸구려를 알아보라는 말이야. 그 가스파르 영감, 〈종〉에 나오는 노랭이 가스파르를 연기하는 데는 분장도 필요 없을 거야.

에드먼드 (짜증이 나서) 그만 좀 할 수 없어? 그 노랭이 영감 얘기 백만 번은 들었겠다.

제이미 (어깨를 으쓱하며, 탁한 목소리로) 좋아. 네가 좋다면, 아버지

좋을 대로 하라고 그래. 죽어도 네가 죽는 거니까. 난 그냥 그렇게 안 됐으면 좋겠다는 거야.

에드먼드 (화제를 바꾼다.) 오늘 시내에서 뭐했어? 마미 번즈에 갔어?

제이미 (흠뻑 취해서 고개를 끄덕인다.) 빙고! 내가 달리 어딜 가서, 나랑 어울리는 여자를 만나겠냐? 물론 사랑도. 사랑을 잊으면 안 돼. 여자의 사랑도 모르는 남자를 어디다 쓰겠니? 그런 남자는 빌어먹을 빈껍데기에 불과해.

에드먼드 (자제력을 잃고 술기운에 젖어 킬킬거린다.) 으이구, 이 웬수.

제이미 (오스카 와일드의 〈매춘굴〉을 신나게 읊어댄다.)

그러곤 내 사랑을 돌아보며 나 말했지.
'망자들은 망자들과 춤을 추고
먼지는 먼지와 함께 소용돌이치고 있어.'

하지만 그녀, 바이올린 소리에
내 곁을 떠나 안으로 들어갔네.
사랑이 욕정의 집으로 들어가버렸네.

그러자 갑자기 선율이 엉클어지고
춤추던 이들은 왈츠에 싫증을 느껴…….

(낭송을 멈추고 탁한 목소리로) 아냐, 이게 아닌데. 사랑이 내 곁에 있어도, 난 그것을 알아차리지 못했네. 그녀는 유령이었나. (사이) 여인과 사랑을 즐기려고 내가 마미네 귀염둥이들 중에서 누굴 골랐는지 맞춰봐. 꼬맹이, 넌 아마 비웃을 거야. 뚱보 바이올렛이었어.

에드먼드 (취기에 젖어 웃는다.) 설마, 진짜야? 멋진걸! 그 여자 1톤은 나갈 텐데. 그런데 왜 그런 거야? 장난으로?

제이미 아니. 아주 진지했어. 마미네 술집에 도착했을 때, 내 자신은 물론이고 세상 모든 가난뱅이 건달들이 너무 한심하게 느껴졌어. 늙었건 말건, 아무 여자 품에나 안겨 펑펑 울고 싶은 심정이었지. 존 발리콘[15] 씨가 마음속에 들어와 감미로운 음악을 연주하면 기분이 어떤지 너도 알잖아. 그런데 문을 열고 들어서자마자, 마미가 나한테 푸념을 늘어놓기 시작하는 거야. 장사가 안 돼 더 죽겠다면서, 뚱보 바이올렛을 내보내겠다고 하더라고. 바이올렛한테 넘어가는 손님들도 없는데 그녀를 데리고 있었던 건, 오로지 그녀가 피아노를 칠 줄 알기 때문이라면서 말야. 그런데 최근엔 바이올렛이 술독에 빠져 연주도 제대로 못하고, 자기 재산만 축내고 있다는 거야. 그래서 바이올렛이 착하기만 하지 밥벌이도 제대로 못할 멍청이라는 걸 아는지라 마음이 안 좋긴 하지만, 사업은 사업이기 때문에 뚱뚱한 창녀를 데리고 있을 수는 없다고.

15 맥주나 위스키를 의인화한, 보리로 만든 술의 별명.

음, 그 말을 들으니 뚱보 바이올렛이 불쌍하게 느껴지더라고. 그래서 네가 준 돈에서 이 달러를 내고 그녀를 이층으로 데려갔지. 딴 맘 같은 건 눈곱만큼도 없었어. 내가 뚱뚱한 여자를 좋아하긴 하지만, 그녀처럼 뚱뚱한 건 싫거든. 난 그저 인생의 그 막막한 슬픔에 대해 가슴을 맞대고 대화를 나누고 싶었을 뿐이야.

에드먼드 (취기에 젖어 킬킬거린다.) 불쌍한 바이올렛! 키플링에 스윈번, 다우슨의 시들을 읊어대며 그녀한테 "시나라여, 난 내 방식대로 그대에게 충실했소" 어쩌고 했겠네?

제이미 (입을 헤벌리고 씨익 웃는다.) 당연하지! 위대한 음악가 발리콘 씨가 감미로운 음악을 연주해대는데 어떻게 안 그래? 그런데 한동안 듣더니, 무진장 화를 내더라. 내가 자길 장난 삼아 이층으로 데려간 거라고 생각한 모양이야. 마구 소리를 지르더라고. 시를 읊어대는 주정뱅이 건달보다는 자기가 낫다면서. 막 울기도 하고. 그러니 어쩌겠어. 뚱뚱해서 사랑한다고 말해줬지. 그랬더니 그 말을 믿고 싶어 하더라고. 그래서 증명을 해줬어. 기분이 좋아졌는지, 나오는데 키스를 퍼부으면서 나한테 홀딱 반했다고 하더라. 결국 둘이 현관에서 또 눈물을 뿌려댔지. 마미 번즈가 날 미친 줄 알게 된 것 말고는 모든 게 좋았어.

에드먼드 (조롱하듯 인용한다.)

창녀들과

쫓기는 자들도 그들 나름의 쾌락을 줄 수 있거늘,

도적 떼들은 결코 이해 못한다.

제이미 (취기에 고개를 끄덕인다.) 맞아! 그러고 보면 죽여주는 시간이었어. 꼬맹이 너도 같이 갔어야 했는데. 마미 번즈도 네 안부를 물었어. 아프다고 했더니 마음 아파하더라. 진심으로. (사이를 두었다. 감상적인 기분에 젖어 삼류배우 같은 어조로) 아우야, 오늘 밤 형은 형을 위해 준비되어 있던 위대한 직업을 발견했단다! 연기는 쇼 하는 물개들한테나 맡겨버릴 거야. 연기를 가장 완벽하게 해내는 게 바로 물개들이니까. 난 하늘이 내린 재능을 적절한 분야에 쏟아 부어서, 최고의 성공을 거머쥘 거야! 바넘 앤 배일리 서커스단에서 뚱보 여인의 애인이 되는 거지! (에드먼드가 웃자, 제이미는 오만과 모멸감이 뒤섞인 태도로 돌변한다.) 쳇! 촌구석에서 뚱뚱한 창녀한테나 빠져 지내다니! 이 제이미가! 브로드웨이 최고의 미인들이 몸이 달아서 애걸하던 이 제이미가 말야! (키플링의 〈방랑자의 세스티나〉를 일부 인용한다.)

대체로 난 모든 길들을 걸어보았네,
세계 곳곳으로 인도하는 행복한 길들을.

(몽롱하게 우울에 젖어) 딱 들어맞진 않네. 행복한 길이라니 말도 안 돼. 따분한 길이 맞지.

에드먼드 (조롱하듯) 그만해! 그러다 울겠다.

제이미 (움찔해서 잠시 극도의 적의를 품고 동생을 노려보다가, 탁한 목소리로) 너무 그렇게 건방 떨지 마. (그러다 돌연) 하지만 네 말이 맞아. 푸념은 그만해야지! 뚱보 바이올렛은 좋은 여자였어. 그녀랑 같이 있어서 좋았어. 교인다운 행동이었지. 그녀의 우울을 치료해주었으니까. 끝내주는 시간이었어. 꼬맹이, 너도 나랑 같이 갔어야 했는데. 잠시 네 문제를 잊어버리게 말이야. 집에 있어 봐야, 피할 수도 없는 문제 때문에 다시 우울해지기만 하잖아. 끝났어. 이젠 다 끝났다고. 아무 희망도 없어! (말을 멈춘다. 취기에 고개는 떨어지고 두 눈은 감긴다. 그러다 갑자기 굳은 얼굴로 위층을 쳐다보며 키플링의 〈오, 나의 어머니〉를 조롱조로 읊조린다.)

> 가장 높은 언덕 위에서 교수형을 당해도
> 나의 어머니, 오 나의 어머니!
> 누구의 사랑이 변함없이 나를 따를지 아나니…….

에드먼드 (격하게) 그만해!

제이미 (증오가 서린 차갑고 냉소적인 어조로) 우리 약쟁이 님은 어디 계신가? 주무시러 가셨나? (에드먼드, 한 대 맞은 듯 움찔한다. 팽팽한 침묵이 감돈다. 에드먼드는 고통스럽고 실망한 표정이다. 의자에서 벌떡 일어나며 분노를 폭발시킨다.)

에드먼드 이 더러운 새끼! (형의 얼굴을 향해 주먹을 날리지만, 빰을 스치고 지나간다. 순간, 제이미도 싸울 기세로 반쯤 의자에서 몸을 일으킨다. 그러다 퍼뜩 정신을 차리고는, 자신이 내뱉은 말에 스스로도 충격을 받으며 힘없이 의자에 주저앉는다.)

제이미 (비참하게) 고맙다, 꼬맹이. 확실히 내가 맞을 짓을 했어. 내가 왜 그랬는지 모르겠네. 술기운에 지껄인 건가. 꼬맹이, 이해하지?

에드먼드 (화를 누그러뜨리고) 형이 그런 말 할 사람 아니라는 거 알아. 하지만 형, 아무리 취했어도 그럴 순 없어! (사이를 두었다 비참하게) 친 건 미안해. 한 번도 이렇게 심하게 싸운 적은 없었는데. (의자에 풀썩 주저앉는다.)

제이미 (쉰 목소리로) 괜찮아. 잘 때렸어. 이 더러운 놈의 혀. 잘라 버렸음 좋겠다. (두 손으로 얼굴을 감싸고, 힘없이) 너무 우울해서 그런 것 같아. 이번에는 엄마가 날 속였거든. 난 정말로 엄마가 마약을 끊었다고 믿었어. 엄만 내가 언제나 최악의 경우만 생각한다고 뭐라 그러는데, 이번엔 최상의 경우를 믿었다고. (그의 목소리가 흔들린다.) 아직, 엄마를 용서할 수 없을 것 같아. 실망이 너무 커. 엄마가 게임에 이기면, 나도 그럴 수 있을 거라고 희망을 품었는데. (흐느끼기 시작한다. 정말 걱정스럽게도, 그의 울음은 취기로 인한 감상이 아니라 맨정신에서 나온 것처럼 보인다.)

에드먼드 (눈물을 흘리지 않으려고 눈을 껌뻑이며) 에잇, 형 마음을 내가 몰라? 그만해, 형!

제이미 (눈물을 삼키려 애쓰며) 난 너보다 훨씬 오래전부터 엄마 일을 알고 있었어. 내가 처음으로 알게 된 날을 잊을 수가 없어. 엄마가 약을 투여하는 모습을 봤지. 세상에, 창녀가 아닌 여자가 마약을 하다니. 상상도 못했었어! (사이) 거기다 너까지 폐병에 걸렸어. 이 일로 난 무너져버리고 말았지. 우린 형제 이상이었으니까. 넌 내 유일한 친구야. 널 정말로 사랑해. 널 위해서라면 뭐든 할 거야.

에드먼드 (손을 뻗어 그의 팔을 토닥인다.) 알아, 형.

제이미 (울음을 멈추고 얼굴에서 손을 떼고는, 이상하게 신랄한 어조로) 내가 최악의 경우만 생각한다며 엄마랑 늙은 가스파르가 잔소리 해대는 거 너도 들었을 거야. 그래서 너 지금, 내가 속으로는 아버지가 늙어서 얼마 못 살고 너도 죽게 되면, 엄마랑 내가 같이 아버지 재산을 전부 차지하게 되기를 은근히 바란다고…….

에드먼드 (격분해서) 입 닥쳐, 이 나쁜 놈! 어떻게 그런 생각을 할 수가 있지? (비난의 눈초리로 형을 노려본다.) 맞아, 내가 알고 싶은 게 바로 그거야. 왜 그런 생각을 하는 거지?

제이미 (당황해서, 다시 취기를 드러내며) 바보처럼 굴지 마! 말했잖아! 난 언제나 최악의 경우만 생각한다고. 나도 어쩔 수가 없어……. (술김에 화를 낸다.) 어쩌려고? 날 비난하려고? 내 앞에서 아는 척하지 마! 평생 가도 넌 삶을 나만큼 몰라! 어려운 글깨나 읽었다고, 날 우롱할 수 있다고 생각하지 마! 넌 덩치만 컸지, 애야! 엄마한텐 내 새끼, 아버지한텐 귀염둥이! 집안의 희망! 너 요새 껍적대고 다니는데 말야. 아무것도 아닌 걸 갖고! 시골 촌구석 신문에 시 몇 편 실린 거 갖고! 난 대학 다닐 때 문학지에 훨씬 좋은 글 발표했어! 정신 차려! 넌 세상이 깜짝 놀랄 일을 하고 있는 게 아냐! 그냥 촌구석 얼뜨기들이 장래 어쩌고 하면서 허튼소리로 치켜세워주고 있는 것뿐이야……. (갑자기 자기 혐오감과 후회에 가득 찬 어조로 돌변한다. 에드먼드는 시선을 먼 곳에 두고, 형의 장광설을 무시하려 애쓴다.) 제길, 꼬맹이, 잊어버려. 진심이 아니란 거 알지? 사람들 전부 기절할 만큼 네가 성공하기를 나만큼 바라는 사람은 없어. 네가 성공의 문턱에 다다랐을 때 난 누구보다도 널 자랑스러워했지. (술김에 단정적으로) 왜 아니겠어? 그것도 순전히 날 위한 건데. 너의 성공은 나한테도 명예로운 일이니까. 나만큼 네가 자라는 데 일조한 사람도 없으니까. 여자들한테 차이거나 원치 않는 실수를 안 하게, 여자들에 대해 제대로 가르쳐준 것도 바로 나야! 거기다 처음 시를 읽게 만들어준 사람은 누구니? 스윈번만 해도 그래! 바로 나야! 언젠가 글을 쓰겠다는 생각을 심어준 사람도 나지! 나도 한때는 글을 쓰고 싶어 했으니까. 젠장, 넌 나한테 동생 이상이야. 내가 너를 만들었어! 넌 나의 프랑켄슈타인이야! (술김에 목소리가 오만하게 높아진다. 에드먼드는 이제 재미있다는 듯 웃고 있다.)

에드먼드 맞아. 난 형의 프랑켄슈타인이야. 그러니까 술 한잔 하자고. (웃으며) 이 미치광이 바보!

제이미 (탁한 목소리로) 난 마셔도 되지만, 넌 안 돼. 몸 생각해야지. (맹목적인 애정으로 바보 같은 웃음을 지으며, 팔을 뻗어 동생의 손을 잡는다.) 요양소 때문에 겁먹지 마. 쉽게 이겨낼 거야. 육 개월만 견디면 아주 건강해질 거야. 폐병이 싹 나을걸. 의사들은 다 사기꾼이야. 몇 해 전 나한테도 술 안 끊으면 죽을 거라고 했는데, 이렇게 말짱히 살아 있잖아. 다들 사기꾼이야. 돈을 뜯어내려고 온갖 짓을 다 하지. 그 주립 요양원도 정치적인 부당이득의 대상일 거야. 의사들이 환자를 보낼 때마다 두당 얼마씩 받는 거지.

에드먼드 (혐오스러우면서도 흥미를 느끼고) 형은 정말 못 말려! 아마 최후의 심판 날에도 사람들한테 그런 식으로 지껄이면서 돌아다닐걸.

제이미 내 말이 맞아. 심판관한테 잔돈 몇 푼이라도 찔러주면 구원받지만, 파산하면 지옥에 떨어지고 말걸! (불경스런 말을 해놓고 자신도 씨익 웃는다. 에드먼드도 웃지 않을 수 없다. 제이미가 말을 잇는다.) "그러니 돈을 지갑 안에 넣고 다녀라."[16] 이게 유일한 비책이지. (조롱하듯) 내 성공의 비책! 이 비책이 날 어떻게 만들었는지 봐! (에드먼드가 술을 한 잔 그득 따라 벌컥벌컥 들이켜도, 그대로 둔다. 게슴츠레하지만 애정이 담긴 눈으로 동생을 바라보다, 다시 동생의 손을 붙들고 탁하지만 묘하게 진지한 어조로 말을 시작한다.) 잘 들어, 꼬맹이. 이제 멀리 떠날 테니까. 다시는 말할 기회가 없을지도 몰라. 취해서 속을 털어놓을 일도 없을 거고. 그래서 지금 하는 거야. 오래전에 했어야 했는데. 널 위해서 말이야. (사이. 자신과 씨름한다. 에드먼드는 감동을 받으면서도 불안하게 지켜본다. 제이

16 셰익스피어의 〈오셀로〉 1막 3장에 나오는 대사.

미가 불쑥 말을 내뱉는다.) 취해서 하는 소리가 아냐. 취중진담이지. 그러니까 진지하게 받아들이는 게 좋아. 너한테 경고해주고 싶어. 날 조심하라고. 엄마하고 아버지 말씀이 맞아. 난 너한테 안 좋은 영향을 미쳤어. 하지만 무엇보다도 나쁜 건, 내가 일부러 그랬다는 점이야.

에드먼드 (불안해져서) 그만! 듣고 싶지 않아…….

제이미 조용히 해, 꼬맹이! 들어야 해! 널 건달로 만들려고 일부러 그런 거야. 내 마음의 한 부분이 그런 거지. 아주 큰 부분이. 오래전에 죽은 부분. 삶을 증오하는 부분. 내 실수들을 보고 배우게 너한테 세상을 알려준 거라고 기만하는 부분. 때로는 나 자신도 그렇게 믿지만, 그건 거짓이야. 내 실수들을 그럴싸하게 보이게 만들고, 술 마시는 걸 낭만으로 포장하고, 가난하고 어리석고 병든 게으름뱅이에 불과한 창녀들을 매혹적인 뱀파이어처럼 묘사하고, 노동을 멍청이들이나 하는 짓이라고 비웃었는데, 다 네가 성공하는 게 싫어서 그런 거야. 그러면 상대적으로 내가 더 초라해 보일 테니까. 네가 실패하기를 바랐어. 언제나 널 질투하고. 엄마의 내 새끼, 아버지의 귀염둥이인 너를! (점점 더 적의에 차서 에드먼드를 노려본다.) 게다가 엄마는 네가 태어나면서부터 마약을 시작했어. 네 탓이 아니란 거 알지만, 그래도, 제기랄, 정말이지 널 미워할 수밖에 없었어……!

에드먼드 (겁에 질리다시피 해서) 형! 그만! 제정신이 아냐!

제이미 꼬맹이, 그래도 오해는 마라. 너를 미워하는 마음보다는 사랑이 더 크니까. 지금 너한테 이런 말 한다는 게 그 증거야. 너한테 미움 살 위험을 무릅쓰고 이런 말 한다는 거, 이게 증거야. 내게 남은 건 너뿐이니까. 하지만 아까는 정말 그런 말 하려고 그런 게 아냐. 그렇게 심한 말을 하다니. 내가 왜 그랬는지 몰라. 내가 하고 싶었던 말은, 네가 세상에서 근사하게 성공하는 모습을 보고 싶다는 거야. 하지만 조심하는 게 좋을 거야. 내가 물불 안 가리고 널 망가뜨리려 할 테니까. 어쩔 수가 없어. 나도 이런 내가 싫어. 하지만 난 복수를 해야 해. 세상 모든 사람들. 특히 너한테. 오스카 와일드의 〈레딩 감옥〉에도 뒤틀린 멍청이가 나오지. 그는 죽었기 때문에 자신이 사랑하는 것을 죽여야 했지. 나도 마찬가지야. 내 안의 죽은 부분은 네가 잘되는 걸 바라지 않아. 그는 아마 엄마가 다시 무너진 것도 은근히 기뻐하고 있을걸! 동무를 원하니까. 혼자서만 시체처럼 집 안을 어슬렁거리고 싶진 않으니까. (고통에 차서 냉혹하게 웃는다.)

에드먼드 세상에, 형! 형 정말 제정신이 아니야!

제이미 다시 생각해보면, 내 말이 맞다는 걸 알 거야. 나랑 떨어져 요양원에 가 있는 동안, 잘 생각해봐. 날 지워버리겠다고 다짐해. 날 죽은 사람이다 생각하고, 네 인생에서 몰아내버려. 그리고 사람들한테 이렇게 말하는 거야. "형이 하나 있었는데 죽었어요." 돌아온 뒤에도 날 조심하고. "나의 오랜 친구" 어쩌고 하면서 기다렸다는 듯이 널 반기고 기꺼이 손을 내밀겠지만, 좋은 기회가 생기면 즉각 네 등에 칼을 꽂을 거니까.

에드먼드 그만! 더는 듣고 싶지 않아…….

제이미 (못 들은 척하며) 하지만 날 잊지는 마. 널 위해 경고했다는 것도. 이건 인정을 해줘야 돼. 자신으로부터 형제를 구하나니, 이보다 더 큰 사랑은 없으니까. (만취해서 고개를 까닥이며) 할 말은 다 했어. 이제 한결 기분이 낫군. 고백을 했더니. 꼬맹이, 넌 날 용서할 거야. 그렇지? 이해하니까. 넌 좋은 녀석이니까. 그래야 하기도 하고. 내가 널 만들었으니까. 그럼, 가서 건강해지기 바란다. 날 두고 죽으면 안 돼. 나한테 남은 건 너뿐이니까. 신이 축복해주실 거야, 꼬맹이. (눈을 감고 중얼거린다.) 마지막 잔에 맛이 가는구나. (완전히 잠이 든 것은 아니고, 취해서 깜빡 존다. 에드먼드는 손으로 비참하게 얼굴을 감싼다. 티론이 안개에 축축해진 화장복을 걸친 채 베란다 문을 열고 조용히 들어온다. 옷깃을 세워 목을 감싸고 있고, 혐오감이 깃든 험악한 표정에서는 연민의 마음이 묻어난다. 에드먼드는 그가 들어오는 것도 알아차리지 못한다.)

티론 (낮은 목소리로) 다행이구나. 잠이 들다니. (에드먼드가 움찔하며 고개를 쳐든다.) 계속 지껄일 줄 알았는데. (옷깃을 내린다.) 그냥 저대로 두는 게 좋을 것 같구나. (에드먼드는 침묵을 지킨다. 티론이 그를 눈여겨보다가 말을 잇는다.) 네 형이 끝에 한 말은 들었다. 내가 경고했던 그대로더구나. 이젠 네 형이 직접 실토했으니까, 경고한 거 잊지 마. (에드먼드는 아무 반응도 없다. 티론이 안쓰러운지 덧붙인다.) 하지만 너무 신경 쓰지는 말고. 걔는 취하면 원래 자기 단점을 과장해서 떠벌리잖니. 형은 널 몹시 사랑해. 걔한테 남아 있는 좋은 점 가운데 하나지. (침통한 얼굴로 제이미를 내려다보며) 참 보기 좋다! 가문의 위엄과 명예를 지켜나갈 줄 알았던 맏아들이, 그토록 전도유망했던 자식이!

에드먼드 (비참하게) 아버지, 조용히 해주실 수 없어요?

티론 (술을 한 잔 따르며) 쓰레기 같은 놈! 갈 데까지 간 주정뱅이, 폐인 같으니라고! (술을 마신다. 제이미가 아버지의 존재를 알아차리고 불안해져서 정신을 차리려고 애쓴다. 그러다 눈을 뜨고 깜빡거리며 티론을 바라본다. 티론은 얼굴이 점점 굳어지면서 방어적으로 한 발짝 뒤로 물러선다.)

제이미 (갑자기 손가락으로 아버지를 가리키며 극적으로 강세를 넣어 읊조린다.)

> 클래런스가 왔다, 거짓되고 간사한 위증자 클래런스,
> 턱스베리 전장에서 내게 칼을 꽂은 클래런스.
> 분노의 여신이여, 그를 잡아 그에게 고통을 주소서.[17]

(화를 내며) 뭘 봐요? (그러곤 로제티의 시를 냉소적으로 암송한다.)

> 내 얼굴을 보게. 내 이름은 '더 훌륭해졌을지도 모를 사람',
> '더는 안 돼', '너무 늦은', '안녕'이라고도 한다네.[18]

---

17 셰익스피어의 〈리처드 3세〉 1막 4장에 나오는 대사.
18 단테 가브리엘 로제티의 〈생명의 집〉 중 일부.

티론 나도 잘 안다. 하늘에 맹세하는데, 그 얼굴 이젠 정말이지 안 보고 싶구나.

에드먼드 아버지! 그만요!

제이미 (조롱하듯) 아버지, 진짜 좋은 아이디어가 떠올랐는데요. 〈종〉을 이번 시즌에 다시 올리는 거 어때요? 분장 없이도 할 수 있는 역이잖아요. 노랭이 가스파르 영감! (티론은 그를 외면하고, 화를 다스리려 애쓴다.)

에드먼드 그만해, 형!

제이미 (놀리듯) 에드윈 부스 같은 배우도 훈련받은 물개처럼 연기를 잘할 수는 없을 겁니다. 물개들은 똑똑한 데다 정직하거든요. 연기에 허세도 없어요. 자신이 일용할 양식을 벌기 위해 연기하는 삼류배우라는 걸 순순히 인정하죠.

티론 (찔끔하더니 격분해서 돌아선다.) 이 날건달 같으니!

에드먼드 아버지! 소란을 피워서 엄마가 내려오게 하고 싶어요? 형, 가서 자! 지껄일 만큼 지껄였잖아. (티론이 고개를 돌린다.)

제이미 (탁한 목소리로) 좋아, 꼬맹이. 싸우고 싶진 않으니까. 졸려 죽겠기도 하고. (두 눈을 감고 꾸벅꾸벅 존다. 티론이 탁자로 다가와, 제이미가 안 보이게 의자를 돌려놓고 앉는다. 그도 곧 졸음에 빠져든다.)

티론 (힘에 겨운 듯) 나도 좀 쉬게, 네 엄마가 잤으면 좋겠구나. (졸린 목소리로) 너무 피곤해. 전처럼 밤을 지새기도 힘들어. 늙었나, 나도 이젠 다 됐어. (입이 찢어져라 하품을 하고) 눈 뜨고 있기도 힘드네. 눈 좀 붙여야겠다. 에드먼드, 너도 좀 자는 게 어때? 엄만 좀 있어야……. (목소리가 점점 약해진다. 눈이 감기고 턱도 축 처지면서, 입으로 힘겹게 숨을 쉬기 시작한다. 에드먼드는 긴장해서 앉아 있다. 무슨 소리를 듣고는, 의자에서 불안하게 홱 앞쪽으로 몸을 기울이고, 응접실을 통해 현관을 뚫어지게 쳐다본다. 그러다 쫓기는 듯한 심란한 표정으로 벌떡 자리에서 일어선다. 순간 뒷방에 숨으려는 듯하다가, 다시 자리에 앉아 시선을 돌리고, 두 손으로 의자 팔걸이를 꽉 움켜잡은 채 기다린다. 갑자기 누군가 벽에 붙은 스위치로 응접실 샹들리에 전구 다섯 개를 전부 켜고, 잠시 후 응접실에서 피아노를 연주하기 시작한다. 쇼팽의 간단한 왈츠곡 가운데 하나의 첫 부분인데, 잘 까먹으면서 더듬더듬 뻣뻣하게 치는 것이 마치 여학생이 처음으로 서툴게 연습하는 소리처럼 들린다. 티론은 잠에서 확 깨 겁먹은 얼굴을 하고, 제이미는 고개를 뒤로 홱 젖히며 두 눈을 크게 뜬다. 잠시 그들은 꼼짝도 않고 귀를 기울인다. 피아노 소리가 처음처럼 갑자기 뚝 끊기더니, 메리가 문간에 모습을 드러낸다. 잠옷 위에 하늘색 가운을 걸치고, 방울이 달린 멋진 슬리퍼를 맨발에 신고 있다. 얼굴은 그 어느 때보다도 창백하고, 커다란 두 눈은 검은 보석처럼 반짝인다. 섬뜩하게도 지금 그녀의 얼굴은 이상하리만치 젊어 보인다. 경험의 흔적들이 얼굴에서 싹 사라져버린 것 같다. 소녀다운 순진무구함을 담은 대리석 가면을 뒤집어쓴 것 같은 얼굴에, 입술에는 수줍은 미소를 머금고 있다. 흰 머리는 양 갈래로 땋아서 가슴 위로 늘어뜨렸다. 한 팔에는 그것을 들고 있다는 것조차 잊어버린 것처럼 무심하게, 레이스 장식이 달린 구식 웨딩드레스를 바닥에 질질 끌리도록 들고 있다. 그녀는 문간에서 머뭇거리며 방 안을 둘러본다. 무언가를 가지러 왔는데, 오는 도중에 정신이 나가서 무엇을 가지러 온 것인지 잊은 사람처럼 당황해서 이마에 주름을 잡는다. 그들이 빤히 쳐다보자, 그녀는 가구나 창문 같은 방 안의 다른 물건들을 보듯 그들을 바라본다. 무의식적으로는 그곳에 당연히 있는 것으로 받아들이지만, 다른 생각에 사로잡혀서 잘 알아차리지 못하는 익숙한 대상들을 대하듯.)

제이미 (죽음 같은 침묵을 깨고, 자기 방어적이고 냉소적인 태도로 신랄하게) 미친 장면, 오필리어 등장! (티론과 에드먼드 모두 화가 나서 제이미를 공격한다. 하지만 에드먼드가 더 빨랐다. 그가 손등으로 제이미의 입을 친다.)

티론 (억눌린 분노로 목소리가 떨린다.) 에드먼드, 잘했다. 막돼먹은 망나니 자식! 지 어미한테!

제이미 (화를 내지는 않고 죄책감에 웅얼거린다.) 좋아, 꼬맹이. 내가 맞을 짓을 했지. 하지만 말했을 텐데. 내가 얼마나 바랐는지……. (손으로 얼굴을 감싸고 흐느끼기 시작한다.)

티론 내일 네놈을 기필코 쫓아내버릴 거야. (하지만 제이미의 흐느낌에 분노가 잦아든다. 티론은 돌아서 제이미의 어깨를 흔들며 애원한다.) 큰애야, 제발, 그만 좀 해! (이때 메리가 입을 연다. 모두들 다시 얼어붙은 듯 입을 다물고 그녀를 쳐다본다. 메리는 이런 소동에는 관심도 없다. 이런 소동도 그냥 익숙한 실내 분위기의 하나일 뿐, 그녀가 사로잡혀 있는 세계에는 전혀 영향을 안 미치는 배경 같다. 그녀는 그들이 아니라 자신을 향해 큰 소리로 혼잣말을 한다.)

메리 영 엉망이네. 연습을 하나도 못했으니. 테레사 수녀님한테 엄청 혼나겠는걸. 특별수업을 받게 거금을 보내주시는 아버지한테 이런 식으로 보답하면 안 된다고 하실 거야. 수녀님 말이 맞아. 나한테 그렇게 잘하고 너그러우신데, 날 그렇게 자랑스러워하시는데, 아버지한테 이러면 안 되지. 이제부터는 매일 연습할 거야. 그런데 내 손에 끔찍한 일이 일어났나 봐. 손가락들이 너무 뻣뻣해……. (손을 들어 올려, 두렵고 당혹스러운 얼굴로 살펴본다.) 손마디도 너무 두꺼워졌고. 으 흉해. 양호실에 가서 마사 수녀님한테 보여드려야겠어. (애정과 신뢰가 담긴 부드러운 웃음을 지으며) 늙어서 약간 괴팍하기는 하지만, 그래도 사랑스러운 분이야. 수녀님 약상자만 있으면 무슨 병이든 고칠 수 있을 거야. 손가락에 바를 약을 주시면서, 성모 마리아 님한테 기도하면 곧 좋아질 거라고 하시겠지? (이제 손은 잊어버리고, 웨딩가운을 질질 끌며 거실로 들어온다. 다시 이마를 찡그리고 멍하니 실내를 둘러본다.) 보자, 뭘 찾으러 왔더라? 이럴 수가. 이렇게 멍해지다니. 만날 꿈만 꾸고 잊어버리기만 한단 말이야.

티론 (소리 죽여) 작은애야, 어머니가 들고 있는 게 뭐냐?

에드먼드 (멍하게) 웨딩가운 같은데요.

티론 이런! (벌떡 일어나 메리의 앞을 막고 서서, 고통스러운 목소리로) 여보! 더 나빠지면 안 돼! (자제하며 부드럽게 달래는 어조로) 자, 그거 나한테 줘. 당신이 갖고 있으면, 밟혀 찢어지거나 바닥에 질질 끌려서 더러워지기만 해. 그러면 나중에 마음 아플 거야. (그러자 메리는 남편이라는 것도 알아보지 못하고, 애정도 증오도 없이 내면 어딘가 먼 곳에서 바라보듯 유심히 그를 쳐다보면서 웨딩가운을 건넨다.)

메리 (예의 바른 소녀가 자신의 짐을 들어주는 나이 지긋한 신사에게 하듯 수줍고 공손하게) 고맙습니다. 정말 친절하시네요. (어리둥절해하면서도 관심 있게 웨딩가운을 바라보며) 웨딩가운이에요. 정말 아름답지 않아요? (어두운 그림자가 얼굴을 스치면서, 희미하게 불안해하는 기색으로) 이제 기억나요. 다락방 트렁크 안에 숨겨져 있었어요. 그런데 내가 왜 이걸 찾아냈는지 모르겠네. 난 수녀가 될 거예요. 찾기만 하면……. (다시 이마에 주름을 잡으면서 실내를 둘러본다.) 내가 뭘 찾고 있었더라? 잃어버렸던 건데. (이제는 앞길을 가로막는 장애물인 양 티론에게서 물러선다.)

티론 (절망적으로 애원한다.) 여보! (하지만 메리는 자신의 생각에 사로잡혀서 티론이 부르는 소리는 듣지도 못하는 것 같다. 그는 어쩔 수 없이 체념하고, 자기 안으로 움츠러든다. 그러곤 그를 보호해주던 취기도 싹 가셔, 맨정신으로 괴로움을 견뎌낸다. 그는 어색하지만 소중하게 웨딩가운을 받쳐 들고 의자에 푹 주저앉는다.)

제이미 (얼굴에서 손을 떼고 탁자 위를 응시한다. 역시 갑자기 확 정신이 들어서, 힘없이) 소용없어요, 아버지. (스윈번의 〈작별〉을 꾸밈없이 그러나 절절한 슬픔을 실어서 줄줄 읊어댄다.)

우리 일어나 작별하세, 그녀는 알지 못하네.

우리 큰 바람이 가는 대로 바다로 가세,

모래와 물거품 흩뿌리며. 여기 있은들 무슨 소용 있겠는가?

이 모든 것 다 그러하므로, 아무 소용 없다네,

온 세상이 눈물처럼 쓰디쓰거늘.

그대 아무리 보여주려 애써도, 이것들 그러한 것을,

그녀 알지 못하네.

메리 (주변을 두리번거리며) 잃어버리면 안 되는 건데. 잃어버렸을 리가 없어. (제이미의 의자 뒤편에서 돌아다니기 시작한다.)

제이미 (돌아서 그녀의 얼굴을 올려다보며 애원한다.) 엄마! (메리가 그의 목소리도 알아듣지 못하는 것 같자, 그는 절망적으로 외면한다.) 제길! 이러면 뭐해? 아무 소용 없어. (더욱 비통하게 〈작별〉을 다시 읊조린다.)

그러니 가세, 나의 노래여, 그녀는 듣지 못하니.

두려움 없이 우리 함께 가세,

노래의 시간은 끝났으니, 지금은 침묵을 지켜야 할 때,

과거의 모든 것, 모든 사랑하던 것들도 끝났으니.

우리 모두 그녀를 사랑하지만, 그녀는 그대도 나도 사랑하지 않는다네.

천사처럼 그녀 귀에 대고 노래 불러도, 정녕

그녀는 듣지 않네.

메리 (주변을 둘러보며) 꼭 필요한 건데. 그게 있으면 외롭지도 두렵지도 않았는데. 영영 잃어버렸을 리 없어. 생각만 해도 죽을 것 같아. 잃어버린 거라면, 아무 희망 없으니까. (메리는 제이미의 의자 뒤편을 몽유병자처럼 돌아다니다가, 에드먼드의 뒤를 지나 왼쪽 앞으로 나온다.)

에드먼드 (충동적으로 몸을 돌려 그녀의 팔을 잡는다. 그러곤 상처를 입고 어쩔 줄 몰라 하는 작은 소년처럼 애원한다.) 엄마! 여름 감기가 아니에요! 저 폐병에 걸렸대요!

메리 (순간 그의 말이 그녀의 마음속으로 파고든 것처럼 보인다. 그녀는 떨면서 겁먹은 표정을 짓는다. 그러곤 자신에게 명령하듯 미친 듯 소리친다.) 안 돼! (그러나 곧장 다시 현실에서 멀어진다. 부드럽게 그러나 아무 감정도 없이 중얼거린다.) 날 건드리면 안 돼. 날 붙잡으면 안 돼. 난 수녀가 되고 싶으니까, 이러면 안 돼. (에드먼드가 그녀의 팔을 놓아준다. 그녀는 왼쪽으로 가서, 얼굴은 앞을 향한 채 새침한 여학생처럼 두 손을 무릎 위에 포개고 창문 밑 소파에 앉는다.)

제이미 (에드먼드에게 연민을 느끼면서도, 질투로 고소해하는 야릇한 시선을 던진다.) 이 멍청이. 소용없다니까. (다시 스윈번의 시를 읊조린다.)

그러니 가세, 가세, 그녀는 보지 않으리니.
다 함께 한번 더 노래하세, 그녀도 분명
지난날과 말들을 기억하고

한숨지으며 우리를 살짝 돌아보리니. 그러나 우리
그곳에 있었던 적도 없다는 듯, 사라지네, 가버리네.
보는 이 전부 우릴 가련하게 여겨도, 정녕
그녀는 보지 않네.

티론 (절망에 망연자실한 상태에서 벗어나려고 애쓰며) 이런, 신경 쓰는 우리가 바보지. 그 망할 놈의 약 때문이야. 하지만 이번처럼 깊이 취한 적은 없었는데. (거칠게) 제이미, 그 술병 이리 건네. 그리고 그 빌어먹을 음울한 시는 그만 읊어. 내 집에선 안 돼! (제이미가 티론에게 술병을 민다. 티론은 한쪽 팔과 무릎 위에 조심스럽게 웨딩가운을 걸친 채로 술을 한 잔 따른 다음, 술병을 도로 제이미에게 민다. 그러자 제이미도 한 잔 따르고, 에드먼드에게 술병을 건넨다. 에드먼드도 한 잔 따른다. 티론이 술잔을 들자, 두 아들도 기계적으로 따라 든다. 그러나 술을 마시기도 전에 메리가 입을 열어, 이들은 천천히 술잔을 탁자에 내려놓는다.)

메리 (꿈꾸는 듯한 눈으로 앞을 응시한다. 얼굴은 이상할 정도로 젊고 순진무구해 보인다. 열정과 신뢰가 담긴 수줍은 웃음을 머금고 커다랗게 혼잣말을 한다.) 엘리자베스 원장 수녀님과 면담을 했어. 참 따스하고 좋은 분이지. 살아 있는 성인이야. 수녀님이 정말 좋아. 죄짓는 건진 몰라도, 어머니보다도 원장 수녀님이 더 좋아. 말 한마디 안 해도, 언제나 이해해주시거든. 그분의 인자하고 푸른 눈은 내 마음을 꿰뚫어 보는 것 같아. 그래서 어떤 것도 숨길 수가 없어. 비천한 마음에 그러고 싶은 생각이 들어도, 그분을 속일 순 없지. (약간 반항적으로 고개를 쳐들고, 계집애처럼 토라져서) 그런데 이번에는 잘 이해를 못하신 것 같아. 수녀가 되고 싶다고 말씀을 드렸는데. 신의 부르심에 내가 얼마나 확신을 갖고 있는지, 확신을 달라고, 내가 가치 있는 존재라는 걸 깨닫게 해달라고 성모 마리아 님한테 내가 어떻게 기도했는지 말씀을 드렸는데도 말이야. 난 원장 수녀님한테 호수의 작은 섬에 있는 루르드 성당에서 기도를 드리다가, 분명한 비전을 보았다고 말씀드렸어. 성모 마리아 님이 웃으며 허락해주셨다는 것을, 내가 그곳에서 무릎을 꿇고 있다는 사실만큼이나 분명하게 알 수 있었다고 말이야. 하지만 수녀님은 그래도 더 분명한 확신이 필요하다고, 그게 나의 상상만은 아니었다는 걸 증명해야 한다고 하셨어. 그러면서 그렇게 확고하다면, 자신을 시험해보는 것도 좋다고 하셨지. 졸업하고 집으로 돌아가서, 한 일이 년 다른 소녀들처럼 파티에도 가고 춤도 추면서 즐기다가, 그래도 확신에 변함이 없으면, 그때 다시 만나서 얘기를 나눠보자고 말이야. (고개를 돌리고, 분개해서) 원장 수녀님이 그런 충고를 하실 줄은 정말 몰랐어! 정말 충격이었어. 물론 난 무엇이든 수녀님 말씀대로 하겠다고 했지만, 그게 시간 낭비라는 걸 알고 있었어. 수녀님을 만나고 난 뒤, 모든 게 뒤죽박죽처럼 느껴져서, 성당에 가 성모 마리아 님한테 기도를 드렸지. 그러곤 다시 평화를 얻었어. 성모님이 내 기도를 들어주시고 언제나 나를 사랑하신다는 걸, 그래서 믿음을 잃지 않는 한 내

게 어떤 불행도 닥치지 않으리란 걸 알았으니까. (말을 멈추자, 불안이 점점 더 짙게 그녀의 얼굴을 휘덮는다. 머릿속에서 거미줄을 걷어내려는 듯 한 손으로 이마를 쓸며, 멍하게) 그게 졸업하던 해 겨울이었지 아마. 그 다음 봄에 중요한 일이 일어났어. 그래, 기억나. 제임스 티론과 사랑에 빠져서 얼마간 아주 행복했지. (슬픈 꿈을 꾸듯 앞을 응시한다. 티론이 의자에서 몸을 움직인다. 에드먼드와 제이미는 미동도 없다.)

막.

1940년 9월 20일

타오 하우스에서

작품 해설

꿈인 줄 알고도 꾸는 꿈, 이 꿈에 비극은 없나니, 그저 삶이 있을 뿐

노벨상을 받은 최초의 미국 극작가, 사후에 받은 상을 포함해서 퓰리처상을 네 번이나 수상한 극작가, 미국의 극작가들 중에서 자전적 요소가 가장 강한 작품들을 써낸 작가, 버나드 쇼나 셰익스피어 말고 전 세계적으로 가장 많이 번역되고 공연된 작가, 미국의 극작가들 중에서 가장 음울하고 어두운 세계를 지닌 작가, 자신의 생각을 가장 잘 담아낼 그릇을 찾아 자연주의에서 사실주의, 상징주의, 표현주의 등 현대극의 거의 모든 형식들을 시험하면서 인간 내면의 어두운 골짜기들을 용감하게 탐험해나간 작가, 이런 실험정신과 치열한 인간 탐구로 가벼운 상업극에 머물러 있던 미국 연극을 세계적 수준의 진지한 연극으로 끌어올린 극작가, 가장 미국적이지 않은 색깔로 미국 연극의 성장에 가장 큰 기여를 한 작가, 실질적으로 미국의 극작가들 중에서 우리나라에 최초로 소개된 작가, 그가 쓴 작품 속의 주인공들처럼 혹은 그들보다 더 비극적이고 굴곡진 삶을 살다간 작가…… 바로 유진 글래드스톤 오닐이다. 간단하게 정의하기 힘든 다양한 문학적 성취로 미국을 포함한 현대 연극사에 분명한 족적을 남긴 극작가.

그러나 이런 문학적 성취나 화려한 수상 경력과는 달리, 한 인간으로서의 그의 삶은 불행 그 자체였다고 할 수 있다. 아일랜드 이민자 2세대였던 불행한 가족사와 질병, 술과 약물, 아버지에 대한 증오와 어머니에 대한 애증, 죄책감, 그가 그토록 뛰어넘고자 했던 운명의 고리에서 한 치도 벗어날 수 없음을 알려주는 것 같은 가족들의 비극적인 죽음들(오닐 자신의 자살 시도를 연상시키는 장남의 자살, 자살이나 진배없는 알코올 중독자 형의 불행한 죽음, 작은형의 죽음을 떠올리게 만드는, 부모의 부주의로 인한 손자의 갑작스런 죽음), 안정적인 환경과 사랑의 부재라는 어린 시절의 상흔으로 인해 평생 세 명의 아내와 화려한 저택들을 전전하면서도 끝내 창작의 순간 말고는 진정한 평화 속에 안주할 수 없었던 비극적인 삶이었다. 물론 말년에 이르러서는 그에게 어머니이자 아내, 친구, 비서, 하인, 재봉사 등 어떤 역할도 마다하지 않은 셋째 부인 칼로타의 헌신적인 보살핌 속에서 비교적 안정된 일상을 살아가기는 했다.

하지만 이런 안정도 인간 혐오자라는 오해와 철저한 고립을 대가로 얻은 것이었으며, 지나온 삶이 그랬듯 그의 죽음은 결코 따뜻하거나 평화롭지 못했다. 1953년 11월 24일 보스턴의 어느 호텔방에서 급성 폐렴으로 아내 칼로타만 지켜보는 가운데 65년간의 생을 마감했다. 인생이 덧없는 꿈과 같지만, 인간은 꿈인 줄 알면서도 꿈꿀 수 있는 능력이 있어야 이 삶을 버텨낼 수 있다(그의 마지막 희극 〈휴이〉의 주제다)는 담담한 인식 속에서, '호텔 방에서 태어났다가, 빌어먹을, 죽을 때도 호텔방에서 죽은' 것이다. 그의 장례식을 지켜본 사람도 칼로타와 의사, 간호사, 이렇게 셋이 전부였다. 물론 그 자신의 선택에 의한 것이기는 했지만.

오닐은 이렇게 비극적인 삶의 조건들 속에서 비극적인 삶을 살다 간 작가처럼 보인다. 하지만 그에게는 일찍부터 이 추한 만큼 아름다운 삶에서 벗어날 가장 강력한 도피처 혹은 가장 확실한 구원책, 즉 연극이 있었다. 그래서 그는 자신의 불행한 운명에 짓눌리는 대신, 자신의 불행을 소재 삼아 그때그때 자신의 분신과도 같은 인물들을 창조해냈다. 또 사랑으로 충만한 따뜻한 가정과 절대적인 사랑을 쏟아줄 어머니 같은 연인을 찾아 평생 방랑자처럼 떠돈 것처럼, 실험을 위한 실험이 아니라, 자신의 사상을 가장 잘 담아낼 수단을 찾기 위해서 과감하게 극적 실험을 계속해나갔다. 스트린드베리와 도스토예프스키, 니체, 프로이트 등에게 물려받은 정신적 유산을 바탕에 깔고, 가면(《위대한 신 브라운》)과 독백, 의식의 흐름 기법(《기묘한 막간극》), 그리스 신화의 현대적인 변용(《상복이 어울리는 엘렉트라》), 성경 속의 재료를 이용(《라자루스가 웃었노라》)하는 등의 실험을 통해, 자연주의에서 상징주의, 표현주의, 사실주의 같은 다양한 범주의 극들을 선보였다.

그리고 이런 형식들을 통해 인간의 실체를 발가벗기고 성장시키는 자연의 힘, 물질주의 속에서 적나라하게 드러나는 인간의 탐욕, 시련을 통해 참된 자아를 찾아가는 인간의 모습, 인간 내면의 집요한 어두움 같은 문제들을 심도 있게 파헤쳤다. 이런 실험의 결과, 미국 연극은 오닐에 이르러 상업적이고 낭만적인 통속극에서 벗어나 인간 본연의 문제를 진지하게 성찰하는 진정한 연극으로 성장했다. 또 오닐 자신은 〈지평선 너머〉(1920년 퓰리처상 수상)와 〈애너 크리스티〉(1922년 퓰리처상 수상), 〈기묘한 막간극〉(1928년 퓰리처상 수상), 〈상복이 어울리는 엘렉트라〉(1936년 노벨문학상 수상에 일조), 〈느릅나무 밑의 욕망〉 같은 걸작들을 통해 당대 최고의 극작가로 인정받았다.

피로, 눈물로 쓴 이해와 화해의 고백

오닐의 다양한 시도와 작품들 중에서도, 오닐의 진면목을 가장 잘 보여주는 작품은 역시 그의 최고 걸작으로 평가받는 〈밤으로의 긴 여로〉라 할 수 있다. 이 작품에 대해 오닐은 사실 사후 25년간은 발표도 하지 말고 무대에도 올리지 말라는 유언을 남겼다. 그의 끔찍했던 가족사가 그만큼 적나라하게 드러나 있는 작품이기 때문이다. 그러나 칼로타는 장남 유진을 포함해서 오닐의 가족들이 거의 대부분 유명을 달리한 마당에 출판을 미룰 이유가 없다고 생각해서, 오닐이 죽은 지 삼 년 만에 이 작품을 발표했다. 이로써 이 작품은 1956년 스웨덴 스톡홀름의 왕립극장에서 초연되고, 같은 해 뉴욕 무대에서도 선을 보이며 책으로도 출판되었다. 그리고 "스트린드베리가 대사를 쓴 도스토예프스키의 소설 같다"는 찬사와 함께 1957년 오닐의 네 번째 퓰리처상 수상작으로 기록되는 영예를 누렸다.

그러나 이 작품을 쓰는 동안 오닐은 '십 년은 더 늙는 것 같은' 고통을 맛보아야 했다. 칼로타가 불러일으킨 사랑에 대한 믿음으로 어렵게 용기를 내기는 했지만, 자신과 가족의 운명과 직면하는 일은 역시 힘든 일이었기 때문이다. '피로, 눈물로 쓴' 이 작품은 그만큼 오닐의 자전적인 이야기를 바탕으로 하고 있다. 유진 자신의 이름을 두 살 때 홍역으로 죽은 작은 형 에드먼드의 이름으로 바꾼 것 말고는 모든 것이 오닐의 실제 가족사와 똑같다.

전염병과 기근을 피해 미국으로 이민 온 가난한 아일랜드인 조상, 향수병을 이기지 못해 아내와 자식들을 버리고 다시 아일랜드로 돌아간 무책임한 할아버지, 독학으로 연극을 공부해서 촉망받는 셰익스피어 전문배우로 인정받다가 우연히 출연한 〈몬테크리스토 백작〉의 흥행을 계기로 평생 상업적인 흥행 배우의 굴레에서 벗어나지 못했던 아버지, 어렸을 적에 받은 가난의 상처를 극복하지 못해서 가족들에게까지 인색하게 굴고 모든 사회주의와 기독교 사상, 양키들의 문화를 비웃었던 아버지, 부유한 중산층 가정에서 고생 모르고 자라다 수녀나 피아니스트가 되겠다던 꿈도 접고 미남 배우와 결혼했지만, 여리고 감성적인 성격에 홍역으로 작은아들을 잃는 불행과 호텔을 전전하는 불안정한 삶, 외로움을 이기지 못해서 결국은 마약에 중독되어 환각의 세계로, 꿈의 세계로 도피해버린 메리, 마약중독자 어머니에 대한 애증과 상처, 동생의 죽음에 대한 죄책감으로 인해 일찍부터 술에 중독되어버린 형 제이미, 형을 숭배하면서 방탕한 삶을 살다가 대학에서 쫓겨난 후 선원이 되어 떠돌이 생활에 자살 시도까지 하고 결국은 결핵에 걸려버린 에드먼드(오닐) 등 모든 것이 오닐 가족의 실제 이야기를 바탕으로 하고 있다.

이처럼 이 극은 오닐의 자서전을 방불케 하는 이야기로 독자들의 흥미를 유발한다. 하지만 처음 읽는 독자에게는 극적이지도 유쾌하지도 않은 지루한 대사의 나열에 불과한 것처럼 여겨질 수도 있다. 철저한 삼일치 법칙에 따라, 1912년 8월의 어느 하루, 제임스 티론의 여름 별장 거실이라는 하나의 장소를 배경으로, 가족들 간의 갈등과 고백, 화해의 이야기를 일상적인 대화와 독백들을 통해 풀어나가기 때문이다. 그러나 별 극적인 사건도 없이 지루하게 이어지는 것 같은 인물들의 거칠고 일상적인 대화와 독백의 이면을 들여다보면, 어떤 사건보다도 더 극적이고 복합적인 인물들의 심리가 해일처럼 거칠고 변화무쌍하게 요동치고 있음을 느끼게 된다.

자기파멸밖에는 달리 분출구를 찾을 길 없는 오랜 상처와 회한, 희망이나 화해 같은 말들을 사치처럼 느끼게 만드는 깊은 절망, 체념, 그저 덮어두고 견뎌낼 수밖에 없는 삶의 조건 앞에서 느끼는 무력감, 그럼에도 기대하고 미워하고 이해하고 용서할 수밖에 없도록 만드는 질긴 애증. 이런 음울하지만 사실적인 인간들의 내면 풍경은 독자들을 몸서리치게 만들기도 하지만, 그 비극성이 갖는 외면할 수 없는 아름다움과 힘으로 인해 자신의 심연을, 자기 가족의 이야기를 뒤돌아보게도 한다. 그리고 오랜 상처에서 벗어나려고 돈과 마약, 여자, 술, 환상 속으로 도피해버리지만 결국은 비극적인 실상에 다시금 맞닥뜨리고 마는 인물들 속에서 나의 모습을, 우리의 어머니, 아버지, 형제의 모습을 보게 된다. 이 작품이 한 가족의 갈등을 소재로 인간 내면의 보편적인 욕망과 좌절, 꿈 등을 이야기하는 역작으로 평가받는 이유다.

불편할 것도 슬퍼할 것도 없는

이 극을 번역하는 내내 역자도 편치 않았던 것 같다. 이미 번역본이 나와 있는 작품을 다시 번역한다는 부담감과 불편함이 의외로 적지 않았고, 아픔 없는 삶이 가족이 어디 있을까마는, 본의 아니게 불행했던 가족사의 여러 줄기들을 더듬고 있는 자신을 발견하게 되었기 때문이다. 편리한 자기암시로 꼭꼭 밀봉해두었던 무언가에 살짝 금이 가면서, 무의식과 의식의 깔끔했던 경계가 희미하게 무너지는 것 같은 느낌이었다.

그러나 모든 죽음과 무너짐은 새로운 꿈의 출발점이고, 심연의 무의식을 들여다보지 않는 것은 힘들게 써놓은 편지를 부치지 않는 것과 같다고 하지 않던가. 베이컨의 말처럼 상처는 들여다보지 않고는 치유할 수 없는 법, 담담하게 소화될 때까지 비극 앞에서 몸서리치는 그 순간이야말로 진정한 성찰과 해원의 행복한 시작일지도 모른다는 생각이 들었다.

마지막으로 이전의 번역들을 참고하되, 새로운 장점을 찾아내는 데 미약하게나마 주력했다는 점을 밝혀두고 싶다. 무대가 아닌 지면으로는 지루하게 읽힐 수도 있는 단점을 극복하고, 오닐의 극이 언어 중심적 희곡의 전통을 따르고 있다는 점을 감안해서, 대사를 최대한 간결하고 생동감 있게 처리하려고 했다. 그러므로 눈이 아니라 입으로 소리 내서 읽으면, 인물들의 복합적인 심리 변화를 더욱 재미있고 생생하게 느낄 수 있을 것이다.

약간 과장을 보태서, 다리는 성하나 눈은 먼 역자에게 잠시 눈을 빌려준 친구에게 고마움을 전하며, 독자 여러분도 불편하고 아픈 만큼 후련하고 가벼워지는 한바탕 살풀이의 시간을 경험하길 바란다.

옮긴이

옮긴이 **박윤정**

한림대학교 영어영문학과 대학원 졸업. 현재 전문번역가로 활동 중.
주요 역서로는《사람은 왜 사랑 없이 살 수 없을까》,
《간절히 그렇다고 생각하면 반드시 그렇게 된다》,《디오니소스》,
《달라이 라마의 자비명상법》,《틱낫한 스님이 읽어주는 법화경》,
《식물의 잃어버린 언어》,《생활의 기술》,《생각의 오류》,《플라이트》,
《유모차를 사랑한 남자》,《만약에 말이지》 등이 있다.

밤으로의 긴 여로

1판 1쇄 발행 2008년 4월 20일
1판 3쇄 발행 2022년 3월 10일

지은이 유진 오닐 | **옮긴이** 박윤정
펴낸곳 (주)문예출판사 | **펴낸이** 전준배
출판등록 2004. 02. 12. 제 2013-000360호 (1966. 12. 2. 제 1-134호)
주 소 03992 서울시 마포구 월드컵북로 6길 30
전 화 393-5681 | **팩 스** 393-5685
홈페이지 www.moonye.com | **블로그** blog.naver.com/imoonye
페이스북 www.facebook.com/moonyepublishing | **이메일** info@moonye.com

ISBN 978-89-310-0657-5 03840

■ 문예 세계문학선

★ 서울대, 연세대, 고려대 필독 권장도서 ▲ 미국 대학위원회 추천도서
● 《타임》 선정 현대 100대 영문 소설 ▽ 《뉴스위크》 선정 세계 100대 명저

1 **젊은 베르테르의 슬픔** 괴테 / 송영택 옮김
▲▽ 2 **멋진 신세계** 올더스 헉슬리 / 이덕형 옮김
▲●▽ 3 **호밀밭의 파수꾼** J. D. 샐린저 / 이덕형 옮김
4 **데미안** 헤르만 헤세 / 구기성 옮김
5 **생의 한가운데** 루이제 린저 / 전혜린 옮김
6 **대지** 펄 S. 벅 / 안정효 옮김
●▽ 7 **1984년** 조지 오웰 / 김병익 옮김
▲●▽ 8 **위대한 개츠비** F. 스콧 피츠제럴드 / 송무 옮김
▲●▽ 9 **파리대왕** 윌리엄 골딩 / 이덕형 옮김
10 **삼십세** 잉게보르크 바흐만 / 차경아 옮김
★▲ 11 **오이디푸스왕 · 안티고네** 소포클레스 · 아이스퀼로스 / 천병희 옮김
★▲ 12 **주홍글씨** 너새니얼 호손 / 조승국 옮김
▲●▽ 13 **동물농장** 조지 오웰 / 김병익 옮김
★ 14 **마음** 나쓰메 소세키 / 오유리 옮김
★ 15 **아Q정전 · 광인일기** 루쉰 / 정석원 옮김
16 **개선문** 레마르크 / 송영택 옮김
★ 17 **구토** 장 폴 사르트르 / 방곤 옮김
18 **노인과 바다** 어니스트 헤밍웨이 / 이경식 옮김
19 **좁은 문** 앙드레 지드 / 오현우 옮김
★▲ 20 **변신 · 시골의사** 프란츠 카프카 / 이덕형 옮김
★▲ 21 **이방인** 알베르 카뮈 / 이휘영 옮김
22 **지하생활자의 수기** 도스토옙프스키 / 이동현 옮김
★ 23 **설국** 가와바타 야스나리 / 장경룡 옮김
★▲ 24 **이반 데니소비치의 하루** A. 솔제니친 / 이동현 옮김
25 **더블린 사람들** 제임스 조이스 / 김병철 옮김
★ 26 **여자의 일생** 기 드 모파상 / 신인영 옮김
27 **달과 6펜스** 서머싯 몸 / 안흥규 옮김
28 **지옥** 앙리 바르뷔스 / 오현우 옮김
★▲ 29 **젊은 예술가의 초상** 제임스 조이스 / 여석기 옮김
▲ 30 **검은 고양이** 애드거 앨런 포 / 김기철 옮김
★ 31 **도련님** 나쓰메 소세키 / 오유리 옮김
32 **우리 시대의 아이** 외된 폰 호르바트 / 조경수 옮김
33 **잃어버린 지평선** 제임스 힐턴 / 이경식 옮김
34 **지상의 양식** 앙드레 지드 / 김붕구 옮김
35 **체호프 단편선** 안톤 체호프 / 김학수 옮김
36 **인간실격 · 사양** 다자이 오사무 / 오유리 옮김
37 **위기의 여자** 시몬 드 보부아르 / 손장순 옮김
●▽ 38 **댈러웨이 부인** 버지니아 울프 / 나영균 옮김
39 **인간희극** 윌리엄 사로얀 / 안정효 옮김
40 **오 헨리 단편선** O. 헨리 / 이성호 옮김
★ 41 **말테의 수기** R. M. 릴케 / 박환덕 옮김
42 **파비안** 에리히 케스트너 / 전혜린 옮김
★▲▽ 43 **햄릿** 윌리엄 셰익스피어 / 여석기 옮김
44 **바라바** 페르 라게르크비스트 / 한영환 옮김
45 **토니오 크뢰거** 토마스 만 / 강두식 옮김
46 **첫사랑** 투르게네프 / 김학수 옮김
47 **제3의 사나이** 그레엄 그린 / 안흥규 옮김
★▲▽ 48 **어둠의 속** 조셉 콘래드 / 이덕형 옮김
49 **싯다르타** 헤르만 헤세 / 차경아 옮김
50 **모파상 단편선** 기 드 모파상 / 김동현 · 김사행 옮김
51 **찰스 램 수필선** 찰스 램 / 김기철 옮김
★▲▽ 52 **보바리 부인** 귀스타브 플로베르 / 민희식 옮김
53 **페터 카멘친트** 헤르만 헤세 / 박종서 옮김
★ 54 **몽테뉴 수상록** 몽테뉴 / 손우성 옮김
55 **알퐁스 도데 단편선** 알퐁스 도데 / 김사행 옮김
56 **베이컨 수필집** 프랜시스 베이컨 / 김길중 옮김
★▲ 57 **인형의 집** 헨릭 입센 / 안동민 옮김
★ 58 **심판** 프란츠 카프카 / 김현성 옮김
★▲ 59 **테스** 토마스 하디 / 이종구 옮김
★▽ 60 **리어왕** 셰익스피어 / 이종구 옮김
61 **라쇼몽** 아쿠타가와 류노스케 / 김영식 옮김
▲▽ 62 **프랑켄슈타인** 메리 셸리 / 임종기 옮김
▲●▽ 63 **등대로** 버지니아 울프 / 이숙자 옮김
64 **명상록** 마르쿠스 아우렐리우스 / 이덕형 옮김
65 **가든 파티** 캐서린 맨스필드 / 이덕형 옮김
66 **투명인간** H. G. 웰스 / 임종기 옮김
67 **게르트루트** 헤르만 헤세 / 송영택 옮김
68 **피가로의 결혼** 보마르셰 / 민희식 옮김

(뒷면 계속)

★ **69 팡세** 블레즈 파스칼 / 하동훈 옮김
70 한국 단편 소설선 1 김동인 외
71 지킬 박사와 하이드 로버트 L. 스티븐슨 / 김세미 옮김
▲ **72 밤으로의 긴 여로** 유진 오닐 / 박윤정 옮김
★▲▽ **73 허클베리 핀의 모험** 마크 트웨인 / 이덕형 옮김
74 이선 프롬 이디스 워튼 / 손영미 옮김
75 크리스마스 캐럴 찰스 디킨슨 / 김세미 옮김
★▲ **76 파우스트** 요한 볼프강 폰 괴테 / 정경석 옮김
▲ **77 야성의 부름** 잭 런던 / 임종기 옮김
★▲ **78 고도를 기다리며** 사뮈엘 베케트 / 홍복유 옮김
★▲▽ **79 걸리버 여행기** 조너선 스위프트 / 박용수 옮김
80 톰 소여의 모험 마크 트웨인 / 이덕형 옮김
★▲▽ **81 오만과 편견** 제인 오스틴 / 박용수 옮김
★▽ **82 오셀로 · 템페스트** 윌리엄 셰익스피어 / 오화섭 옮김
★ **83 맥베스** 윌리엄 셰익스피어 / 이종구 옮김
▽ **84 순수의 시대** 이디스 워튼 / 이미선 옮김
★ **85 차라투스트라는 이렇게 말했다** 니체 / 황문수 옮김
★ **86 그리스 로마 신화** 에디스 해밀턴 / 장왕록 옮김
87 모로 박사의 섬 H. G. 웰스 / 한동훈 옮김
88 유토피아 토머스 모어 / 김남우 옮김
★▲ **89 로빈슨 크루소** 대니얼 디포 / 이덕형 옮김
90 자기만의 방 버지니아 울프 / 정윤조 옮김
▲ **91 월든** 헨리 D. 소로 / 이덕형 옮김
92 나는 고양이로소이다 나쓰메 소세키 / 김영식 옮김
★ **93 폭풍의 언덕** 에밀리 브론테 / 이덕형 옮김
★▲ **94 스완네 쪽으로** 마르셀 프루스트 / 김인환 옮김
★ **95 이솝 우화** 이솝 / 이덕형 옮김
★ **96 페스트** 알베르 카뮈 / 이휘영 옮김
▲ **97 도리언 그레이의 초상** 오스카 와일드 / 임종기 옮김
98 기러기 모리 오가이 / 김영식 옮김
★▲ **99 제인 에어 1** 샬럿 브론테 / 이덕형 옮김
★▲ **100 제인 에어 2** 샬럿 브론테 / 이덕형 옮김
101 방황 루쉰 / 정석원 옮김
102 타임머신 H. G. 웰스 / 임종기 옮김
● **103 보이지 않는 인간 1** 랠프 엘리슨 / 송무 옮김
● **104 보이지 않는 인간 2** 랠프 엘리슨 / 송무 옮김
▲ **105 훌륭한 군인** 포드 매덕스 포드 / 손영미 옮김
106 수레바퀴 아래서 헤르만 헤세 / 송영택 옮김
▲ **107 죄와 벌 1** 도스토옙스키 / 김학수 옮김
▲ **108 죄와 벌 2** 도스토옙스키 / 김학수 옮김
109 밤의 노예 미셸 오스트 / 이재형 옮김
110 바다여 바다여 1 아이리스 머독 / 안정효 옮김
111 바다여 바다여 2 아이리스 머독 / 안정효 옮김
112 부활 1 톨스토이 / 김학수 옮김
113 부활 2 톨스토이 / 김학수 옮김
▲● **114 그들의 눈은 신을 보고 있었다** 조라 닐 허스턴 / 이미선 옮김
115 약속 프리드리히 뒤렌마트 / 차경아 옮김
116 제니의 초상 로버트 네이선 / 이덕희 옮김
117 트로일러스와 크리세이드 제프리 초서 / 김영남 옮김
118 사람은 무엇으로 사는가 톨스토이 / 이순영 옮김
119 전락 알베르 카뮈 / 이휘영 옮김